Lee a las personas como un libro:

Cómo analizar, entender y predecir las emociones, los pensamientos, las intenciones y los comportamientos de las personas

De Patrick King
Entrenador de interacción
social y conversación en
www.PatrickKingConsulting
.com

Índice

Introducción

¿Alguna vez has conocido a alguien que parecía tener un don natural para *atraer* a otras personas? Parece que han sido dotados con una comprensión instintiva de cómo se comportan otras personas y por qué se comportan como lo hacen, hasta tal punto que a menudo pueden predecir lo que dirán o sentirán.

Estas son las personas que saben cómo hablar para que los demás realmente las escuchen, o las personas que pueden detectar rápidamente cuando alguien está mintiendo o tratando de manipularlos. A veces, esa persona puede percibir las emociones de otra persona y entender sus motivaciones en un grado que incluso excede la percepción que esa persona tiene de sí misma.

Puede parecer un superpoder. ¿Cómo lo hacen?

La verdad es que esta habilidad no es realmente nada mística, sino una habilidad como cualquier otra que realmente se puede aprender y dominar. Si bien algunos pueden llamarlo inteligencia emocional o simple conciencia social, otros pueden verlo como más parecido a lo que puede hacer un psicólogo clínico o psiquiatra cuando hacen una entrevista inicial con un paciente nuevo. Por otro lado, puede ver esta habilidad como algo que un experimentado agente del FBI, un detective privado o un oficial de policía pueden desarrollar con la experiencia.

En este libro, vamos a analizar de cerca todas las formas en que podemos desarrollar estas habilidades en nosotros mismos, sin necesidad de un título en psicología o ninguna experiencia como interrogador entrenado de la CIA.

Leer y analizar personas es sin duda una valiosa habilidad. Constantemente nos encontramos e interactuamos con otras personas y necesitamos cooperar con ellas si esperamos tener vidas exitosas y armoniosas. Cuando sabemos cómo analizar de forma rápida y precisa el carácter, el comportamiento y las intenciones tácitas de alguien, podemos comunicarnos más eficazmente y, para decirlo sin rodeos, obtener lo que queremos.

Podemos adaptar la forma en que nos comunicamos para estar seguros de que realmente estamos llegando a nuestro público objetivo; podemos detectar cuando estamos siendo engañados o influenciados. También podemos entender más fácilmente incluso a aquellas personas que son muy distintos a nosotros y que trabajan desde valores muy diferentes. Ya sea que estés intentando conocer un poco más sobre una persona que acabas de conocer husmeando en sus redes sociales, o entrevistando a un nuevo empleado, o tratando de entender si el mecánico está diciendo la verdad sobre tu vehículo, leer bien a la gente es una habilidad que no tiene precio.

Cuando realmente lo piensas es una locura: cada persona que conoces es esencialmente un misterio para ti. ¿Cómo podemos realmente saber lo que está pasando dentro de sus cabezas? ¿Qué están pensando, sintiendo, planeando? ¿Cómo podemos entender verdaderamente lo que significa su comportamiento, por qué están motivados como están e incluso cómo *nos* ven y comprenden?

El mundo de otra persona es como una caja negra para nosotros. Todo lo que debemos seguir son cosas *fuera* de esa caja negra: las palabras que dicen, sus expresiones faciales y lenguaje corporal, sus acciones, nuestra historia pasada con ellos, su apariencia física, el tono y la calidad de su voz, etc.

Antes de seguir avanzando nuestro libro, vale la pena reconocer este hecho innegable: los seres humanos son organismos complejos, vivos y cambiantes cuya experiencia interna está esencialmente cerrada dentro de ellos. Aunque algunos podrán afirmarlo, nadie puede afirmar con certeza que conoce a alguien por completo.

Dicho esto, ciertamente podemos mejorar en la lectura de los signos que se pueden observar. «Teoría de la mente» es el término que utilizamos para describir la capacidad de pensar en las realidades cognitivas y emocionales de otras personas. Es el deseo (perfectamente humano) de hacer un modelo sobre los pensamientos, sentimientos y acciones de otra persona. Y como cualquier modelo, es una simplificación de la profundidad y complejidad de la persona real frente a nosotros. Como cualquier modelo, tiene sus limitaciones y no siempre explica perfectamente la realidad.

Nuestra meta al aprender a afinar nuestra capacidad para analizar a las personas es hacer las mejores conjeturas.

Lo que aprendemos a hacer es recopilar tantos datos de alta calidad sobre una persona como podamos y analizarlos de forma inteligente. Si somos capaces de introducir estos pequeños datos en un modelo robusto y preciso de la naturaleza humana (o más de un modelo), el resultado que podemos obtener es una comprensión más profunda de la persona. De la misma forma que un ingeniero puede mirar una máquina complicada e inferir su operación y función prevista, podemos aprender a mirar a los seres humanos que viven y respiran y analizarlos para entender de una mejor manera el qué, por qué y cómo de su comportamiento.

En los siguientes capítulos, vamos a ver muchos modelos distintos; no se trata de teorías en competencia, sino de distintas maneras de ver a un ser humano. Cuando se utilizan todos juntos, obtenemos una nueva comprensión de las personas a nuestro alrededor.

Lo que hagamos con este entendimiento depende de nosotros mismos. Podríamos utilizarlo para fomentar una actitud más rica y compasiva hacia quienes nos importan. Podríamos tomar nuestro conocimiento y aplicarlo en el espacio de trabajo o en cualquier lugar que necesitemos para cooperar y colaborar con una amplia variedad de personas distintas.

Podemos utilizarlo para convertirnos en mejores padres o mejores parejas. Podemos utilizarlo para mejorar nuestra manera de hablar, para detectar mentirosos o aquellos con un plan, o para reconciliarnos de forma efectiva con la gente durante los conflictos.

El momento en que nos encontramos con alguien nuevo por primera vez es el momento en el que más necesitamos tener unos poderes de percepción y análisis bien afinados. Incluso las personas menos inteligentes emocional y socialmente pueden aprender algo sobre otras personas si se involucran el tiempo suficiente con ellas. Pero en lo que nos centramos en este libro es principalmente en aquellas habilidades que pueden permitirle recopilar información realmente útil sobre casi desconocidos, preferiblemente después de una sola conversación.

Profundizaremos un poco más en el dominio del arte de una decisión rápida que sea realmente precisa, cómo evaluar las personalidades y los valores de las personas a partir de su forma de hablar, su comportamiento e incluso sus posesiones personales, cómo leer el lenguaje corporal e incluso cómo detectar una mentira mientras está sucediendo.

Otra advertencia antes de adentrarnos: analizar y leer a las personas es mucho, mucho más que simplemente tener corazonadas o reacciones emocionales instintivas acerca de ellas. Aunque el instinto y la intuición pueden desempeñar una función, aquí nos enfocamos en métodos y modelos que tienen evidencia teórica sólida y buscan ir más allá de simples predisposiciones o prejuicios. Después de todo, ¡queremos que nuestros análisis sean *precisos* si nos han de servir de algo!

Cuando analizamos a los demás, adoptamos un enfoque lógico y metódico.

¿Cuáles son los orígenes o causas de lo que vemos frente a nosotros, es decir, cuál es el elemento histórico?

¿Cuáles son los mecanismos psicológicos, sociales y fisiológicos que sustentan el comportamiento que estás presenciando?

¿Cuál es el resultado o efecto de este fenómeno frente a ti? En otras palabras, ¿cómo se desarrolla lo que estás viendo en el resto del entorno?

¿Cómo se desencadena el comportamiento que estás presenciando por eventos particulares, el comportamiento de otros o incluso como una respuesta a ti mismo?

En los capítulos a continuación, vamos a ver maneras inteligentes de estructurar tu análisis racional basado en datos de las personas complejas y fascinantes que se cruzan en tu camino. Puedes comenzar a apreciar cómo este tipo de análisis es la base de tantas otras competencias. Por ejemplo, saber leer a las personas puede mejorar tu capacidad de compasión, aumentar tus habilidades de comunicación, mejorar tus habilidades de negociación, ayudarte a establecer mejores límites y el efecto secundario inesperado: ayudarte a comprenderte mejor a ti mismo.

Por qué es probable que lo estés haciendo mal

Muchas personas creen que son «buenas con la gente».

Es muy fácil afirmar enérgicamente que comprendes las motivaciones de otra persona, sin siquiera detenerte a comprobar si estás en lo correcto. El sesgo de confirmación, desafortunadamente, es una explicación más probable, es decir, recuerda todas esas veces que tus evaluaciones fueron correctas e ignora o resta importancia a las veces que claramente te equivocaste. Eso, o simplemente nunca preguntarás si tienes razón en primer lugar. ¿Cuántas veces has escuchado... «solía pensar que fulano de tal era tal y tal tipo de persona, pero cuando lo conocí, me di cuenta de que estaba completamente equivocado»?

El hecho es que las personas a menudo juzgan sobre el carácter de alguien de una forma menos precisa de lo que les gusta creer. Si estás leyendo este libro, es probable que sepas que hay algunas cosas que probablemente podrías aprender. Nunca está de más comenzar un nuevo cometido en una pizarra en blanco. Después de todo, nada puede obstaculizar el aprendizaje de técnicas verdaderamente efectivas como la convicción de que ya lo sabes todo y no necesitas aprender.

Entonces, con eso en mente, ¿cuáles son los obstáculos para volverse brillante leyendo a la gente?

En primer lugar, lo más importante que debemos recordar es el *efecto del contexto.* Tal vez hayas visto algún artículo en internet llamado «5 señales reveladoras de que alguien está mintiendo» y has querido ver si podías detectar alguna señal en la vida real. El problema con esto es evidente: ¿la persona está mirando hacia arriba y hacia la izquierda porque está mintiendo o simplemente ha llamado su atención algo que hay en el techo?

De la misma forma, una persona que comete un interesante «desliz freudiano» en la conversación podría estar contándote un jugoso secreto sobre sí misma, o simplemente podría estar casi sin dormir y literalmente simplemente cometer un error. El contexto es importante.

De la misma manera, no podemos tomar una *sola* afirmación, expresión facial, comportamiento o momento para decirnos algo definitivo sobre la persona en su totalidad. ¿No has hecho hoy tú mismo algo que, si se analiza solo, llevaría a conclusiones completamente absurdas sobre tu persona? El análisis solamente puede ocurrir con datos, no con un solo dato, y solo puede ocurrir cuando somos capaces de ver tendencias más amplias.

Estas tendencias más amplias también deben ubicarse en el contexto cultural del que proviene la persona que estás analizando. Algunos signos son universales, mientras que otros pueden variar. Por ejemplo, hablar con las manos en los bolsillos es menospreciado en la mayoría de las culturas. El contacto visual, por otro lado, puede ser un asunto complicado. En Estados Unidos, generalmente se alienta el contacto visual porque se considera un signo de honestidad e inteligencia. Sin embargo, en lugares como Japón, se desaconseja el contacto visual porque se cree que es una falta de respeto. De manera similar, un conjunto de señales puede significar una cosa en tu propia cultura y algo completamente distinto en otra. Al principio, puede ser un poco difícil recordar estos diferentes modelos de interpretación, pero a medida que practiques el arte, empezará a surgir de forma natural.

Si una persona hace lo mismo inusual cinco veces en una sola conversación corta, entonces es algo a lo que hay que prestarle atención. Si alguien simplemente dice: «Conozco a esa mujer. Es introvertida. Una vez la vi leyendo un libro», ¡no lo considerarías precisamente un maestro en desentrañar la psique humana! Por lo tanto, vale la pena recordar otro principio importante: en nuestro análisis, buscamos patrones.

Otra forma en que las personas inteligentes pueden llegar a conclusiones no tan inteligentes sobre los demás es si *no logran crear una línea de base.* El chico frente a ti puede estar haciendo mucho contacto visual, sonriendo a menudo, felicitándote, asintiendo con la cabeza e incluso tocándote el brazo de vez en cuando. Podrías concluir que debes gustarle mucho a este chico, hasta que te das cuenta de que es así con todas las personas que conoce. De hecho, no te muestra ningún interés por encima de su línea de base normal, por lo que todas tus observaciones no conducen a donde normalmente lo harían.

Por último, hay algo que debes considerar cuando estás estudiando a otros seres humanos, y a menudo es un verdadero punto de unión: tú mismo. Puedes decidir que alguien está tratando de engañarte, pero no tomas en cuenta por completo tu propia naturaleza paranoica y cautelosa, y el hecho de que recientemente te mintieron y aún no lo has superado.

Este último punto puede ser, irónicamente, la verdadera clave para revelar a los demás, asegurándose de que nos entendemos a nosotros mismos al más mínimo detalle antes de dirigir nuestra mirada analítica hacia afuera. Si no eres consciente de cómo puedes proyectar tus propias necesidades, miedos, suposiciones y prejuicios en los demás, tus observaciones y conclusiones sobre los demás no serán gran cosa. De hecho, es posible que simplemente hayas descubierto una forma indirecta de aprender sobre ti mismo y el equipaje cognitivo y emocional que *tú* dejas ver.

Veamos algunos de estos principios en acción.

Supongamos que estás entrevistando a alguien que tu empresa pretende contratar. Tienes poco tiempo para determinar si ella encajaría con el resto del equipo. Te das cuenta de que habla con bastante rapidez y ocasionalmente tropieza con sus propias palabras. Está sentada literalmente en el borde de su asiento, con las manos entrelazadas con fuerza. ¿Podría tratarse de una persona muy nerviosa e insegura? Dejas de hacer juicios, sabiendo que todos se ponen nerviosos en las entrevistas (es decir, respetas el contexto).

Observas que la candidata menciona más de una vez que su empleador anterior era muy exigente con los tiempos, mientras que ella prefiere trabajar de forma independiente y administrar su tiempo ella misma. Te preguntas si esto significa que le cuesta seguir las instrucciones de la gerencia, o si realmente es un tipo de persona más independiente y proactiva. No tienes una línea de base, así que le preguntas sobre sus días como estudiante universitaria y lo que estudió. Ella te informa sobre los proyectos de investigación que llevó a cabo de forma independiente y cuán estrechamente trabajó con su antiguo supervisor. Esto te dice que *puede* trabajar bajo gestión... si el proyecto es algo que le importa.

Si solo te hubieras centrado en su nerviosismo, no habrías llegado muy lejos. Muchos reclutadores te dirán que hablar mal de un empleador anterior es sin duda una señal de alarma, pero en la entrevista, buscas *patrones*, no eventos individuales. Incluso puedes considerar que puede estar actuando de manera nerviosa porque *tú* la estás poniendo así. Quizá sepas que, al ser una persona alta y físicamente dominante con una voz profunda y una expresión seria, lo que estás presenciando no es la mujer en sí, sino la mujer tal como aparece en tu compañía.

Al recordar algunos principios simples, podemos asegurarnos de que nuestro análisis sea siempre contextual, bien considerado y tridimensional. Se trata de sintetizar la información que tenemos delante nuestro en una teoría de trabajo coherente, en lugar de simplemente detectar algunos comportamientos estereotipados y llegar a conclusiones fáciles.

El problema de la objetividad

«Tu primo se disgustó mucho anoche cuando hiciste esa broma sobre política».

«¿Se disgustó?» No, no estaba molesto; creyó que era gracioso. ¡Lo recuerdo!».

«¡De ninguna manera!» Él estaba frunciendo el ceño. Pensé que estaba muy molesto contigo...».

¿Alguna vez has participado en una conversación con un grupo de personas y te has dado cuenta de que distintos miembros del grupo tenían una forma de pensar completamente diferente de lo que sucedió? A veces, las personas no están totalmente de acuerdo sobre si alguien estaba coqueteando, si alguien se sentía incómodo u ofendido, si alguien se sentía mal o estaba siendo grosero. ¡Puede parecer como si estuvieras viviendo en dos realidades separadas!

Algunos estudios muestran que solamente alrededor del siete por ciento de nuestra comunicación proviene de la forma oral como tal, mientras que la friolera del cincuenta y cinco por ciento proviene del lenguaje corporal. Esto quiere decir que lo que la gente dice es a menudo el peor indicador de lo que realmente quieren transmitir. Incluso su tono de voz solamente te dice alrededor del treinta y ocho por ciento de la historia real. Ahora se puede ver la razón por la que las personas a menudo abandonan las conversaciones grupales con opiniones contrastantes sobre lo que realmente sucedió en esa interacción: están usando los factores equivocados para llegar a sus juicios. Para captar la conversación o el diálogo real, no verbal, en el que alguien está participando contigo, debes considerar tanto sus señales verbales como las no verbales.

Ya hemos visto que simplemente afirmar que eres una «persona sociable» no es realmente una prueba de que, de hecho, eres mejor leyendo a la gente. Pero resulta que puede haber una manera científica de medir realmente esta cualidad en las personas. Simon Baron Cohen (sí, es pariente del comediante Sascha Baron Cohen, son primos) ha ideado lo que él llama una prueba de inteligencia social. La prueba se califica sobre una puntuación de treinta y seis, con resultados inferiores a veintidós observados en personas con autismo, y la puntuación promedio es de alrededor de veintiséis.

Básicamente, la prueba le pide que infieras las emociones de otras personas *simplemente mirándolos a los ojos,* es decir, prueba qué tan empáticos son. Las personas pueden estar sonriendo, pero ¿se sienten realmente incómodos? Saber cómo leer las emociones de otras personas se ha relacionado con una inteligencia social superior en general, que luego se vincula con una mejor cooperación en equipos, comprensión empática y mejores habilidades de lectura de personas.

Si tienes curiosidad, puedes hacer esta prueba tú mismo en un ordenador siguiendo este enlace: http://socialintelligence.labinthewild.org/. Se te pedirá que mires imágenes que muestran solo los ojos de las personas y que elijas entre cuatro emociones para describir lo que crees que la persona está sintiendo. Pero estate preparado para sorprenderte con tus resultados, o los resultados de tus amigos y familiares.

Por supuesto, esta prueba tiene fallas y limitaciones como cualquier otra de este tipo. Si eres un genio social, pero tienes un vocabulario pobre o no eres culturalmente occidental o no hablas inglés, por ejemplo, tus resultados deben interpretarse con precaución. Esta prueba te muestra lo bueno que puedes ser para leer las emociones de las personas partiendo de muy poca información, es decir, de nada más que una simple mirada a los ojos de los demás.

Pero esto es solamente una pequeña pieza del rompecabezas. Lo que esta prueba nos dice es que no todos tenemos el mismo rango de habilidades sociales, y quizás que seamos menos hábiles de lo que pensamos al principio. A su vez, esto nos muestra que no siempre es suficiente con seguir las corazonadas o la intuición; es fácil que hagas evaluaciones incorrectas de las personas.

Cuando se trata de asuntos como las profundidades oscuras y ocultas de los corazones y las mentes de otras personas, debemos esforzarnos por ser lo más objetivos posible. No siempre podemos confiar en nuestro primer impulso. Si hiciste la prueba anterior y obtuviste solo veintiséis puntos de treinta y seis, entonces podrías concluir razonablemente que diez de cada treinta y seis encuentros te harían interpretar incorrectamente la expresión facial de alguien.

Si ese es el caso, ¿qué más te estás perdiendo?

Por otro lado, la mirada de alguien es solamente una pequeña parte de la información con la que tienes que trabajar en cualquier situación social. Tienes su postura y lenguaje corporal, lo que dicen (¡y lo que no!), su tono de voz, su actitud, el contexto en el que ambos están conversando...

Si no obtuviste una puntuación muy alta en la prueba no te preocupes, esto no quiere decir que seas autista o completamente inconsciente socialmente. En la vida real, encontramos mucho más en un momento que pasa que una simple imagen de los ojos de alguien. En realidad, es posible que seas mejor de lo que piensas para reunir esta información y toda la otra información a tu disposición.

Lo que te gustaría intentar, sin embargo, es trabajar deliberadamente para mejorar las habilidades de lectura de tu gente en las formas discutidas en este libro, y regresar uno o dos meses más tarde para volver a tomar la prueba. Puedes descubrir algo fascinante: que nuestras habilidades empáticas y sociales no son fijas, sino que pueden desarrollarse y mejorarse. Una vez que tengas tu base para tus propias habilidades de lectura de personas, estamos listos para pasar a las teorías y modelos que te ayudarán a refinar tus habilidades a niveles de Sherlock.

Aportes

- La mayor parte de la comunicación que tiene lugar entre las personas es de naturaleza no verbal. Lo que la gente dice es a menudo un mal indicador de lo que quiere transmitir, lo que hace que la lectura de las personas sea una valiosa habilidad para la vida con beneficios casi infinitos. Aunque todos somos bendecidos con diferentes aptitudes, es posible desarrollar esta habilidad en nosotros mismos, siempre que seamos honestos sobre dónde empezamos.
- Independientemente de la teoría del modelo que utilicemos para ayudarnos a analizar e interpretar nuestras observaciones, debemos considerar el contexto y cómo influye. Un signo aislado rara vez conduce a juicios precisos; debes considerarlo en conjunto. La cultura de la que proviene la gente es otro factor importante que ayuda a

contextualizar adecuadamente tu
análisis.

- El comportamiento no tiene sentido
en un vacío; necesitamos establecer
una base para que sepamos
interpretar lo que vemos. Esto
significa que debes determinar cómo
es alguien normalmente para
detectar desviaciones a partir de eso
para obtener interpretaciones
precisas de cuándo está feliz,
emocionado, molesto, etc.

- Finalmente, nos convertimos en
grandes lectores de personas cuando
nos entendemos a nosotros mismos.
Debemos saber qué prejuicios,
expectativas, valores e impulsos
inconscientes traemos a la mesa para
poder ver las cosas de la manera más
neutral y objetiva posible. Tenemos
que evitar permitir que el pesimismo
empañe nuestros juicios porque a
menudo es más fácil llegar a la
conclusión más negativa cuando es
igualmente probable una alternativa
más positiva.

- Para comprender mejor el progreso
que logras a medida que lees este
libro, debes conocer desde el

principio tu habilidad para analizar a las personas. Simon Baron Cohen ha creado una prueba disponible en http://socialintelligence.labinthewild .org/ que te ayudarán a medir qué tan bueno eres para leer las emociones de las personas en este momento. También es una buena manera de darnos cuenta de que quizás no seamos tan buenos leyendo a las personas como pensamos.

Capítulo 1 La motivación como indicador conductual

¿Por qué molestarse en entender a la gente? ¿Por qué tomarse la molestia de aprender cómo funcionan las personas y por qué?

Si piensas en alguna situación en la que estabas intentando desesperadamente hacer una lectura de alguien, podría haber sido porque estabas muy interesado en cómo *actuaría* esa persona, o bien, tratando de entender la razón por la que actuó como lo hizo.

Para entender por qué las personas se comportan como lo hacen, debemos examinar las causas y los impulsores de ese comportamiento: sus motivaciones. Todas las personas (y tú también) se ven impulsadas a actuar por una razón u otra. Es posible que no siempre veas o comprendas esa razón, pero la hay. ¡Solamente la locura hace que una persona actúe sin ningún motivo! Por lo tanto, para controlar cualquier comportamiento, comprenderlo, predecirlo o incluso influir en él de alguna forma, debes comprender *qué lo alimenta*, es decir, qué motiva a una persona.

¿Por qué elegiste este libro? ¿Por qué te levantaste esta mañana? ¿Por qué has hecho los cientos de cosas que sin duda ya has hecho hoy?

Tenías tus motivos, conscientes o inconscientes, y otra persona podría obtener una percepción considerable de quién eres al saber cuáles eran esas motivaciones.

En este capítulo, vamos a ver todo lo que inspira a los seres humanos a actuar: deseo, odio, agrado y desagrado, placer y dolor, miedo, obligación, hábito, fuerza, etc. Una vez que sepas qué motiva a alguien, puedes comenzar a ver su comportamiento como una extensión natural y lógica de lo que es como persona. Puedes trabajar empezando desde sus acciones hasta sus motivaciones y, finalmente, hacia ellos y quiénes son como individuos.

Las personas están motivadas por factores psicológicos, sociales, financieros, incluso biológicos y evolutivos, y todos estos factores podrían interactuar entre sí de maneras muy interesantes. ¿Qué le importa a la gente? Preguntar sobre intereses, valores, metas y miedos es más o menos preguntar sobre motivaciones. Una vez que sepas de dónde viene una persona en este sentido, puedes empezar a comprenderla a ella y a su mundo en sus propios términos.

En este capítulo, exploraremos los diferentes motivadores detrás del comportamiento humano. Piensa en estos motivadores como modelos explicativos a través de los que se puede observar el comportamiento de los demás y utilizarlos para comprender lo que está viendo, en un nivel profundo. Comencemos por el nivel más profundo de todos: el inconsciente.

La motivación como una expresión de la sombra

Es un viejo cliché: un hombre de mediana edad calvo y con sobrepeso pasa a toda velocidad en un costoso y ruidoso coche deportivo rojo, y la gente en la acera comenta: «Vaya, me pregunto por qué está compensando». Es solamente una broma grosera, pero habla de una comprensión común del hecho de que a veces las personas son impulsadas por fuerzas internas inconscientes y no necesariamente se dan cuenta de ello.

Quizás estés familiarizado con el concepto de la sombra del psicólogo suizo Carl Jung. En pocas palabras, la sombra contiene todos aquellos aspectos de nuestra naturaleza que hemos rechazado, ignorado o rechazado. Es la parte de nuestro ser que ocultamos a los demás, e incluso a nosotros mismos. Nuestra mezquindad, nuestro miedo, nuestra rabia, nuestra vanidad.

La idea es que cuando integramos nuestra sombra, cultivamos un sentimiento más profundo de plenitud y podemos vivir como seres humanos auténticos y completos. Verás, a Jung no le importaba la «positividad» y la superación personal en el sentido por el que es popular hoy en día. Pensaba que la salud y el bienestar psicológicos provenían de reconocerte y aceptarte a ti mismo, a *todo* tú, en lugar de empujar las partes no deseadas de ti más y más lejos.

Puede ser enormemente gratificante hacer un «trabajo en la sombra», es decir, intentar conscientemente recuperar esas partes desheredadas de ti mismo. Pero ¿cómo podemos utilizar este concepto para ayudarnos a entender mejor a quienes nos rodean, que también poseen sombras?

Lo que pasa con la sombra es que, a pesar de que se extrae de la percepción consciente, todavía existe. De hecho, puede darse a conocer de maneras más sutiles, manifestándose en comportamientos, pensamientos y sentimientos, o apareciendo en sueños o momentos de descuido. Si somos capaces de observar y comprender estos signos externos en los demás, podemos obtener una visión profunda de su carácter.

Vivimos en un mundo de dualidad: hay luz y oscuridad, hay un arriba y un abajo, y la alta energía eventualmente disminuirá y se detendrá. El simple hecho de comprender este principio también puede ayudarnos a entender a las personas. Todos somos una mezcla de fuerzas complementarias, conectadas e interdependientes. Como el yin yang, cada uno da origen y equilibra al otro.

Imagínate a alguien que se crio en un hogar estricto y estaba presionado para mantener la excelencia académica. Nada de llegar tarde por la noche, nada de beber, ni amigos, solo estudiar todo el día... todos los días. Podrías mirar a una persona así y darte cuenta de lo profundamente desequilibrado o polarizado que está su ser. Su mente consciente está enfocada en un solo aspecto de su ser. Pero ¿qué pasa con su impulso de ser libre, de rebelarse, de jugar, de ser un poco salvaje? ¿Dónde va eso?

Seguramente conoces a algunas personas que vivieron una infancia exactamente así. Y la forma en que transcurre la historia puede parecer muy familiar: en la edad adulta temprana, esa persona finalmente sucumbe a las necesidades ocultas y reprimidas durante mucho tiempo de libertad, expresión y rebeldía, y «se vuelve completamente salvaje», abandona sus estudios y vive como si estuviese recuperando todo el tiempo perdido.

Podemos entender este fenómeno utilizando el principio de la sombra. Incluso si nos encontramos con un estudiante disciplinado y perfectamente educado, sabemos que su sombra contiene todo lo que es inaceptable para ellos, para los demás y para su entorno. De la misma manera que se necesita energía para mantener constantemente una pelota de playa sumergida bajo el agua, se necesita energía para negar la sombra. Pero la pelota termina saliendo.

Vivir con una sombra que nos es desconocida puede provocarnos un malestar psicológico. La mente, el cuerpo y el espíritu buscan estar completos, y si esta totalidad solo se logra a través de una explosión de material reprimido a la superficie de la percepción consciente, entonces que así sea. Al utilizar la teoría de la sombra de Jung, puedes lograr algunas ideas clave cuando se trata de comprender a las personas.

En primer lugar, puedes desarrollar una comprensión más profunda de por qué la gente es como es, y esto conduce inevitablemente a mayores sentimientos de compasión. Si sabes que el matón del colegio aprendió en la niñez a suprimir de la conciencia todos sus propios sentimientos de inferioridad, debilidad y miedo, puedes ver su comportamiento con cierto grado de comprensión. Eres capaz de comprometerte con él más allá de un nivel superficial: estás lidiando con todo él y no solo con el yo consciente cuidadosamente curado que está mostrando en la superficie.

En segundo lugar, al utilizar el modelo sombra, te permites acercarte y comunicarte con las personas de manera mucho más efectiva. Aunque cada uno de nosotros es un ser dividido, existe un impulso hacia la integridad y la autenticidad. Si puedes hablar directamente con esas partes no reconocidas de la psique de una persona, podrás comunicarte más profundamente.

Por ejemplo, una persona arrogante y narcisista puede tener una sombra llena de odio a sí misma. En esa sombra está todo lo que no pueden soportar reconocer sobre sí mismos, tanto que niegan que sea siquiera una parte de ellos. La reacción común a las personas narcisistas es querer derribarlas, reírse de ellas o resistirse a sus afirmaciones de grandiosidad. Pero esto solo fortalece los sentimientos de vergüenza que crearon la división en primer lugar. Si puedes ver la grandiosidad de una persona esencialmente como una defensa, puedes adaptar tu comunicación en consecuencia.

Evidentemente no puedes hacer que otra persona reconozca partes de su propia sombra simplemente porque crees que debería hacerlo, pero ciertamente puedes darle una idea de cómo tratar con esto en el futuro. Una última forma de utilizar esta teoría para comprender a los demás es ver cómo se proyecta la sombra al mundo exterior.

La sombra está llena de sentimientos dolorosos e incómodos. Aliviamos este dolor e incomodidad ignorando o negando los sentimientos, y ¿qué mejor manera de repudiarlos que afirmar que pertenecen enteramente a otra persona? La proyección de sombras ocurre cuando una persona inconscientemente atribuye sus propios rasgos de sombra a otra persona. Por ejemplo, alguien que se siente intelectualmente inferior puede encontrarse llamando a todo y a todos «estúpidos» o criticando con altivez los esfuerzos de los demás.

Aunque en la superficie pueden haberse etiquetado como intelectuales, puedes ver lo que realmente está sucediendo: la máscara de la inteligencia está ahí para proteger los sentimientos reales de inferioridad. Si una persona así te llama estúpido, sabes que no tiene nada que ver contigo y tiene mucho que ver con ellos.

Puedes utilizar esta comprensión para ser muy persuasivo o incluso manipulador, por ejemplo, para felicitar la inteligencia de la persona cuando quieras halagarla.

También puedes utilizar tu conocimiento para generar una comprensión profunda y compasiva. Por ejemplo, podrías intentar comunicarle a esta persona que no hay nada de vergonzoso en ser «estúpido» y que la aceptas y la amas, sea inteligente o no. Esto ayuda a integrar la sombra: si el material reprimido no se siente como vergonzoso e incómodo, ya no hay necesidad de alejarlo. Es como relajar la presión sobre la pelota de playa y permitir que flote suavemente hacia la superficie.

Nada de esto quiere decir que debamos entrar en un modo psicoterapeuta intenso cada vez que conocemos a alguien nuevo. Integrar la sombra es un trabajo largo y difícil que no se puede hacer en nombre de nadie más. Lo mejor que podemos hacer por nosotros mismos es trabajar duro en nuestras propias sombras mientras las usamos para ayudarnos a reconocer y comprender el funcionamiento de las sombras de otras personas.

Incluso podrías comenzar a ver tu propia cultura de manera un poco diferente: los grupos pueden tener su propia sombra colectiva. ¿Cuáles son las cosas que tu familia, comunidad o incluso nación se niegan a reconocer como grupo sobre sí mismos? ¿Y cómo te ayuda esto a comprender un poco más su comportamiento resultante?

En el espíritu de Jung, la actitud más útil y curativa a adoptar cuando se trata de la sombra es una de amor y aceptación. Sé curioso pero amable. Tu objetivo al identificar la (posible) sombra de alguien no es atraparlos, hacer que se les acerque o descubrir un botón que puedas presionar para tu propio beneficio.

En cambio, se trata de *ver la totalidad* en un mundo que a menudo está dividido, roto, dividido e inconsciente. Si puedes ver la sombra operando en otra persona, también es una invitación a mirar honestamente dentro de nosotros mismos.

Una vez que podemos ver la vergüenza, el miedo, la duda y la rabia de otra persona con aceptación y comprensión, podemos hacer lo mismo por nosotros mismos. No solo seremos estudiantes más astutos de la naturaleza humana, sino que también seremos amigos, socios o padres más sensibles y emocionalmente inteligentes.

De hecho, las cosas que cada uno de nosotros empujamos hacia nuestras respectivas sombras a menudo no son tan diferentes. Ninguno de nosotros quiere admitir que a veces nos sentimos pequeños y débiles, indignos de amor, confundidos, perezosos, egoístas, lujuriosos, celosos, malos o cobardes. Una excelente manera de considerar tu sombra *y* la de la otra persona es observar qué sentimientos desencadena el comportamiento de esa persona en ti.

Por ejemplo, es posible que tengas una conversación con el intelectual jactancioso del ejemplo anterior. Compartes una idea de la que se ríen y rápidamente denuncian como «estúpida». ¿Cuál es tu respuesta? Si eres como la mayoría de las personas, puedes sentir un hormigueo de ira, vergüenza o humillación, y de repente sentir la necesidad de defenderte. Tal vez respondas con algo que creas que suena muy inteligente para demostrarle que está equivocado... o simplemente te ríes y lo insultas directamente.

Lo que pasó es que su sombra ha activado la tuya. Para tener esta reacción, en algún lugar dentro de ti estaba el sentimiento no deseado de ser estúpido e inferior. Sin embargo, si tienes la presencia mental para permanecer consciente en tal interacción, puedes hacer una pausa y notar tu propia respuesta y sentir curiosidad por ella. Esta persona, al insultarte así, te ha dicho algo muy importante sobre sí misma, si sabes escuchar.

Las personas muy astutas y observadoras saben que lo que una persona te insulta a menudo no es más que la etiqueta que no pueden reconocer que realmente se dan a sí mismos. Si te das cuenta de esto, puedes mantener la calma en esa conversación. De lo contrario, es posible que te enganches en una sesión de defensa del ego mutua, es decir, una discusión, con la persona, aceptando sin saberlo su invitación para jugar un juego de sombras en particular con ella.

La sombra se expresa en las motivaciones de las personas. El hombre de mediana edad en la historia estereotipada ha suprimido de la conciencia su dolor por la pérdida de su juventud y vigor sexual. Pero está ahí fuera para que todos lo vean en la forma de su nuevo y sexi coche deportivo. La próxima vez que conozcas a alguien, repasa rápidamente las siguientes preguntas para ayudarte a verlo en un nivel más profundo:

- ¿Qué me está mostrando activa y conscientemente esta persona en este momento?
- ¿Qué podría esta persona no estar dispuesta a reconocer sobre sí misma?
- ¿Cómo es posible que esta parte no reconocida de sí mismos esté impulsando inconscientemente el

comportamiento que veo en la superficie?

- ¿Cómo me hace sentir esta persona ahora mismo? ¿Siento que se proyectan sobre mí o activan mi propia sombra?
- ¿Cómo puedo comunicar compasión y comprensión por lo que está en su sombra, ahora mismo?

Cuando hablas con alguien, el modelo de sombra te ayuda a hablar con *todos*, incluso con las partes que no muestran. ¡Es una forma de «leer entre líneas» en lo que respecta a la gente!

Nuestro niño interior aún vive.

Otra forma relacionada de ver las motivaciones más profundas de las personas es reconocer y admitir a su «niño interior». Podemos entender al niño interior como esa parte inconsciente de nosotros mismos que representa a los niños pequeños que alguna vez fuimos.

Después de todo, generalmente es en la infancia cuando aprendemos qué partes de nosotros son aceptables y cuáles no, y, por lo tanto, es el momento de comenzar a construir nuestra sombra y dar forma a nuestra personalidad consciente. Hacer el «trabajo del niño interior» suena un poco por ahí, pero en realidad no es tan distinto de reconocer y acoger delicadamente el aspecto de la sombra.

Si estuvieras haciendo el trabajo del niño interior por tu cuenta o con un terapeuta, podrías entablar un diálogo lúdico con tu niño interior, escribir en un diario, dibujar y pintar, y adoptar la mentalidad de un adulto compasivo que luego «re-cría» la versión más joven de ti mismo, dándote todo lo que necesitabas en ese entonces pero que no recibiste.

¿Cómo podemos utilizar la teoría del niño interior para ayudarnos a mejorar en la lectura de las personas? De la misma forma que podemos aprender a identificar cuando alguien está operando desde su sombra, podemos ver si alguien está motivado particularmente por su niño interior. Si tienes una discusión con un compañero y está enfadado y a la defensiva, es posible que de repente veas su comportamiento mucho más claramente si lo entiendes como un niño asustado que básicamente está haciendo una rabieta.

Quizá te hayas sentido una o dos veces antes como si estuvieras tratando con un niño que simplemente tenía la forma de un adulto. Si notas que alguien actúa de repente con lo que parece una emoción desproporcionada, presta atención. Sentirse repentinamente enfadado, herido, a la defensiva u ofendido podría ser una pista de que se ha tocado algún nervio. El inconsciente, ya sea la sombra o el niño interior, o ambos, se ha activado de alguna manera.

Un buen indicio de que estás tratando con alguien que está totalmente identificado con su yo infantil es que te sientes posicionado como un «padre». Cuando somos adultos, se espera que asumamos la responsabilidad, demostremos autocontrol y nos comportemos con razón y respeto por los demás. Pero una persona en modo infantil puede ser (psicológicamente hablando) un niño, lo que lo empuja a responder como lo haría un padre, es decir, tranquilizándolo, reprendiéndolo o asumiendo la responsabilidad por él.

Supongamos que se te pide que trabajes con alguien nuevo en tu trabajo. Esta persona se burla en las reuniones contigo y luego no colabora con su parte del trabajo, dejándote a ti con el desorden. Cuando lo confrontas, pone mala cara, lo niega y se enfada. Te das cuenta de que esta persona está totalmente identificada con su niño interior, que resulta ser un niño travieso y rebelde. Sabiendo esto, te abstienes de entrar en modo parental. No asumes la responsabilidad de castigarlo y tratar de encontrar una manera de sobornarlo para que haga su trabajo.

Quizás esta persona aprendió temprano en la vida que esta era la forma de responder a la autoridad, las responsabilidades o las cosas que realmente no quería hacer. Sin embargo, al interactuar deliberadamente con el aspecto adulto de tu compañero, cambias la dinámica. Le haces imposible permanecer en modo infantil. Lo que podría haber sido un conflicto peor se acaba solucionando con el tiempo.

Es un cambio sutil pero poderoso: no solo miramos el comportamiento frente a nosotros, sino *de dónde proviene el comportamiento y por qué.* Es cierto que, al hacerlo, quizá no abramos vías de elección adicionales, pero siempre enriquecemos nuestra comprensión de la situación, que es intrínsecamente valiosa.

Una de las contribuciones duraderas de la psicología al pensamiento popular es la idea de que podemos interpretar situaciones y eventos no solamente en términos de sus características prácticas, sino en términos de las personas involucradas y sus necesidades y motivaciones humanas. Veremos más de cerca esta teoría en la próxima sección.

El factor motivación: placer o dolor

Si puedes acercarte y comprender realmente las verdaderas motivaciones de las personas, podrás comprenderlas mucho mejor, tal vez incluso hasta el punto de poder predecir cómo podrían actuar en el futuro. El uso de este enfoque psicológico te brinda la oportunidad de entrar en la perspectiva de otras personas, encontrando claridad sobre exactamente lo que *ganan* al pensar y comportarse como lo hacen. Con este conocimiento, tus interacciones con las personas se enriquecen de manera instantánea.

Una vez más, estos se entrelazan perfectamente con las emociones y los valores porque a menudo buscan los mismos fines. Es solo otra perspectiva de por qué alguien actúa de la forma en que lo hace y qué podemos entender de esta persona a partir de eso.

De todas las especulaciones sobre las fuentes de motivación, ninguna es más famosa que el *principio del placer.* La razón por la que es tan conocido es porque también es el más fácil de entender. El principio del placer fue planteado por primera vez en la conciencia pública por el padre del psicoanálisis, Sigmund Freud, aunque investigadores desde Aristóteles en la antigua Grecia notaron con qué facilidad podíamos ser manipulados y motivados por el placer y el dolor.

El principio del placer afirma que la mente humana hace todo lo posible para buscar placer y evitar el dolor. Así de sencillo. En esa simplicidad, encontramos algunos de los motivadores más universales y predecibles de la vida.

El principio del placer lo emplea nuestro cerebro reptil, del que se puede decir que alberga nuestros impulsos y deseos naturales. No tiene ningún sentido de moderación. Es primario y sin filtrar. Va tras todo lo que puede para satisfacer los impulsos de felicidad y satisfacción de nuestro cuerpo. De la misma forma, el cerebro siente cualquier cosa que cause placer, ya sea una comida sabrosa o una droga. Una comparación adecuada, de hecho, es un drogadicto que no se detendrá ante nada para probar un poco más de narcóticos.

Hay algunas reglas que gobiernan el principio del placer, que también nos hacen bastante predecibles.

Cada decisión que tomamos se basa en obtener placer o evitar el dolor. Esta es la motivación común de todas las personas en la tierra. No importa lo que hagamos en el transcurso de nuestro día, todo se reduce al principio del placer. Atacas la nevera buscando algo para picar porque anhelas el sabor y la sensación de ciertos alimentos. Te cortas el pelo porque crees que te hará más atractivo para otra persona, lo que te hará feliz, que es un placer.

En cambio, te pones una máscara protectora mientras usas un soplete porque quieres evitar que las chispas te lleguen a la cara y los ojos, porque eso será doloroso. Si revisas todas las decisiones que se toman, ya sea a corto o largo plazo, encontrarás que todas se derivan de un pequeño conjunto de placeres o dolores.

La gente se esfuerza más para evitar el dolor que para obtener placer. Si bien todos quieren obtener el máximo placer, su motivación para evitar el dolor es en realidad mucho más fuerte. Por ejemplo, el instinto de sobrevivir a una situación amenazante es más inmediato que comerte tu chocolatina favorita. Entonces, cuando te enfrentas a la perspectiva del dolor, el cerebro trabajará más duro de lo que lo haría para obtener acceso al placer.

Por ejemplo, imagina que estás parado en medio de una carretera desértica. Delante tuyo hay un cofre del tesoro lleno de dinero y joyas extravagantemente caras que podrían ayudarte económicamente por el resto de su vida. Pero también hay un camión a toda velocidad que se dirige hacia ti. Probablemente tomarás la decisión de saltar y alejarte del camión en lugar de tomar el cofre del tesoro, porque tu instinto de evitar el dolor, en este caso, una muerte segura, superó tu deseo de obtener placer.

Si tocaste fondo y te enfrentaste a una gran cantidad de dolor o disgusto, entonces simplemente debes comenzar a actuar para evitarlo en el futuro. Un animal herido está más motivado que uno ligeramente incómodo.

Nuestras percepciones de placer y dolor son impulsores más poderosos que las cosas reales. Cuando nuestro cerebro está juzgando entre lo que será una experiencia placentera o una dolorosa, está trabajando a partir de escenarios que *pensamos* que podrían resultar si actuamos de cierta manera. En otras palabras, nuestras *percepciones* de placer y dolor son realmente lo que nos hace comportarnos de una forma u otra. Y a veces esas percepciones pueden ser erróneas. De hecho, en su mayoría son defectuosas, lo que explica nuestra tendencia a trabajar en contra de nuestros mejores intereses.

No se me ocurre mejor ejemplo de esta regla que los chapulines jalapeños. Son un bocadillo tradicional mexicano picante, sabroso y bajo en carbohidratos. Por cierto, «chapulines» significa «saltamontes». Estamos hablando de saltamontes con sabor a chile. Los insectos.

Ahora bien, es posible que no tengas conocimiento de primera mano sobre el sabor de los saltamontes. Quizás nunca los hayas probado. Pero la *idea* de comer saltamontes puede hacer que te detengas. Te imaginas que tendrán un sabor horrible. Te imaginas que te dará mucho asco darle un mordisco a un saltamontes. Es posible que accidentalmente muerdas un órgano interno de un saltamontes. La *percepción* de comer un saltamontes te está alejando rápidamente del acto de comer uno.

Pero la realidad es que *todavía no lo has probado.* Estás trabajando desde tu *idea* de la repulsión que te provocará comer un saltamontes. Alguien que realmente haya probado la cocina a base de saltamontes puede insistir en que son realmente *buenos* cuando se preparan correctamente. Aun así, es posible que no puedas superar tu percepción innata de cómo sería comerse un insecto.

El placer y el dolor cambian con el tiempo. En general, nos centramos en el aquí y ahora: ¿qué puedo conseguir muy pronto que me traiga felicidad? Además, ¿qué se avecina muy pronto que podría ser muy doloroso y que tendré que evitar? Cuando consideramos el logro de la comodidad, estamos más atentos a lo que podría suceder de inmediato. El placer y el dolor que pueden suceder dentro de meses o años en realidad no se registran en nosotros; lo más importante es lo que está justo en la puerta de nuestra casa. Claro está que esta es otra manera en la que nuestras percepciones son defectuosas y por qué posponemos las cosas con tanta frecuencia, por ejemplo.

Supón que un fumador necesita un cigarro. Es el principal objetivo de su situación actual. Le aporta cierto alivio o placer. Y en aproximadamente quince minutos, tendrá un descanso para poder disfrutar de ese cigarrillo. Es el objetivo de su ritual diario. *No* está pensando en que fumar un cigarro cada vez que «lo necesita» podría causar dolorosos problemas de salud en el futuro. Esa es una realidad distante que no los impulsa en absoluto. En este momento, necesita un cigarrillo porque lo anhela, y es posible que le duela la cabeza de inmediato si no lo hace.

La emoción vence a la lógica. Cuando se trata del principio del placer, tus sentimientos tienden a eclipsar el pensamiento racional. Sabrás que hacer algo será bueno o malo para ti. Comprenderás todas las razones por las que será bueno o malo. Obtendrás todo eso. Pero si tu identificación ilógica está tan decidida a satisfacer un determinado antojo, entonces probablemente saldrá ganando. Y si tu identificación te lleva a pensar que hacer algo útil causará demasiado estrés o insatisfacción temporal, también ganará.

Volviendo a nuestro fumador, sin duda sabe por qué los cigarrillos son perjudiciales para la salud. Ha leído esas advertencias en los paquetes de tabaco. Quizás en la escuela vio una foto de un pulmón corroído como resultado de años de fumar. *Sabe* todos los riesgos que conlleva esa acción. Pero tiene un paquete justo delante. Y al diablo con toda la razón, se fumará ese cigarro. Sus emociones orientadas al placer ganan.

La supervivencia anula todo. Cuando nuestro instinto de supervivencia se activa, todo lo demás en nuestra estructura psicológica y emocional se apaga. Si surge una situación que amenaza la vida (o una situación que se *percibe* que amenaza la vida) en nuestra existencia, el cerebro se cierra a todo lo demás y nos convierte en una máquina cuyos pensamientos y acciones están todos orientados hacia la voluntad de sobrevivir.

Esto no debería sorprendernos cuando se trata de evitar resultados dolorosos. *Por supuesto* que vas a intentar alejarte de ese camión que se aproxima a toda velocidad; si no lo haces, no sobrevivirás. Tu sistema no te permitirá tomar esa decisión; hará todo lo posible para sacarte de la ruta de ese camión.

Sin embargo, la supervivencia también puede entrar en juego cuando buscamos placer, incluso si eso significa que podríamos ponernos en peligro. El ejemplo más obvio de esto es la comida. Digamos que estás en un bar y alguien pide un plato gigante de nachos cargados de queso, crema agria, carne grasienta y un montón de otras cosas que pueden no ser las mejores opciones dietéticas para ti. Es posible que puedas resistirte. Algunas personas pueden hacerlo. Pero puede que no. De hecho, podrías encontrarte comiendo la mitad del plato incluso antes de darte cuenta de lo que has hecho.

¿Por qué? Porque necesitas comida para sobrevivir. Y tu cerebro te está diciendo que hay comida cerca, por lo que tal vez deberías comerla. No importa que no sea el mejor tipo de comida, nutricionalmente hablando, por la que podría optar en este momento. Tu instinto de supervivencia te dice que es hora de comer esos nachos. Tu vida depende de ello.

El principio del placer está relacionado con una idea que proviene de la economía y el intento de predecir los mercados y el comportamiento de compra humano: la *teoría de la elección racional*, encarnada por el jocoso *Homo economicus.* Esto establece que todas nuestras elecciones y decisiones surgen enteramente del interés propio y del deseo de brindar tanto placer a nuestras vidas como sea posible. Puede que no siempre se mantenga (de lo contrario, los precios del mercado y de las acciones serían predecibles al cien por cien), pero brinda más apoyo a la naturaleza simple de muchas de nuestras motivaciones.

La próxima vez que conozcas a alguien nuevo o estés tratando de leer a alguien, considera mirar sus acciones en términos de la motivación del placer o el dolor. Pregúntate qué cosas buenas obtienen al comportarse como lo hacen, o qué cosas malas evitan, o las dos cosas.

Por ejemplo, si tiene un niño de cinco años cansado y que no quiere ordenar su habitación, puedes considerar el placer y el dolor y preguntarle cómo percibe tu solicitud: ¡probablemente como dolorosa! Cuando te des cuenta de que simplemente se está comportando de esa forma para evitar el dolor y maximizar su propio placer, puedes reformular tu solicitud. Si puedes convertir la limpieza en un juego divertido, o si puedes vincular la limpieza con la anticipación de una recompensa, te habrás comunicado de manera eficaz y obtenido el resultado que deseas.

Por supuesto, probablemente te estés preguntando si esta teoría siempre se aplica; la respuesta es no. Las personas pueden ejercitar la disciplina, la moderación y el autocontrol, y pueden desear genuinamente y obtener placer al hacer cosas que solo rinden frutos en el futuro, o solamente ayudan a los demás y no a ellos mismos. Aunque el principio de placer/dolor puede funcionar bien con el adiestramiento de perros, probablemente te guste pensar en ti mismo como un poco más complejo, moralmente hablando.

Por ejemplo, hay innumerables historias de prisioneros detenidos en campos de concentración durante el holocausto, que se morían de hambre y, sin embargo, optaron por compartir la poca comida que tenían con quienes los rodeaban. Naturalmente, un ser humano se ve impulsado a actuar por muchas más cosas que la simple búsqueda de placer o evitar el dolor. Esta es la razón por la que aprender a leer a las personas requiere que consideremos tantos modelos y teorías diferentes; ninguna de ellas es suficiente por sí sola.

En la siguiente sección, veremos otra teoría basada en las necesidades que puede ayudarnos a entender mejor a las personas que actúan fuera de la dinámica normal de placer/dolor, y por qué.

La pirámide de las necesidades

La jerarquía de necesidades de Maslow es uno de los modelos más famosos de la historia de la psicología. Emplea una pirámide para mostrar cómo ciertas «necesidades» humanas —como la comida, el sueño y el calor— son necesarias antes que necesidades más ambiciosas como el amor, los logros y la vocación. La pirámide de Maslow puede verse como un ejemplo visual de cómo la motivación cambia y aumenta después de que obtenemos lo que necesitamos en cada etapa de nuestras vidas, que suele coincidir con el lugar en el que nos encontramos en la jerarquía misma.

Cuando apareció el profesor de psicología Abraham Maslow en la década de 1940, su teoría lo redujo todo a una idea revolucionaria: los seres humanos son el producto de un conjunto de necesidades humanas básicas, cuya privación es la causa principal de la mayoría de los problemas psicológicos. Satisfacer estas necesidades es lo que nos impulsa a diario.

La jerarquía, que ahora lleva su nombre, traza las necesidades y deseos humanos básicos y cómo evolucionan a lo largo de la vida. Funciona como una escalera: si no puedes satisfacer tus necesidades y deseos humanos fundamentales más básicos, es extremadamente difícil avanzar sin estrés e insatisfacción en la vida. Significa que tus motivaciones cambian dependiendo de dónde te encuentres en la jerarquía.

Para ejemplificar esto, echemos un vistazo a cómo nuestras necesidades y motivaciones asociadas cambian desde la infancia hasta la edad adulta. Cuando somos bebés, no sentimos ninguna necesidad de una carrera o satisfacción con la vida. Simplemente necesitamos descansar, ser alimentados y tener refugio sobre nuestras cabezas. La alimentación y la supervivencia son nuestras únicas necesidades y deseos reales (como te dirán los padres de recién nacidos).

A medida que pasamos de la infancia a la adolescencia, el simple hecho de mantenernos vivos y saludables no produce satisfacción. Tenemos hambre de relaciones interpersonales y amistades. Lo que nos impulsa es encontrar un sentimiento de pertenencia y comunidad. Luego, a medida que maduramos y nos convertimos en adultos jóvenes, el simple hecho de tener un gran grupo de amigos ya no es suficiente para satisfacernos. Se siente vacío, en realidad, sin un sentido general de propósito.

Si, como adultos jóvenes, tenemos la suerte de poder brindarnos seguridad y estabilidad financiera tanto para nosotros como para nuestras familias, entonces nuestros deseos y necesidades pueden volverse hacia afuera en lugar de hacia adentro. Es la misma razón por la que personas como Warren Buffett y Bill Gates comienzan a participar en la filantropía para tener el mayor impacto posible en el mundo.

Las etapas de la jerarquía de necesidades de Maslow determinan exactamente lo que te motiva dependiendo de dónde te encuentres en la jerarquía.

La primera etapa es la satisfacción fisiológica. Esto se ve fácilmente en la vida diaria de un bebé. Todo lo que les importa es que se satisfagan sus necesidades básicas para sobrevivir (es decir, comida, agua y refugio). Sin seguridad en estos aspectos, es difícil para cualquiera concentrarse en la satisfacción en cualquier otra cosa; en realidad, sería perjudicial para ellos buscar otras formas de satisfacción. Así que este es el nivel básico de cumplimiento que primero debe alcanzarse.

La segunda etapa es la seguridad. Si alguien tiene la barriga llena, ropa y un techo sobre su cabeza, necesita encontrar una manera de asegurarse de que esas cosas sigan llegando. Necesitan tener una fuente segura de ingresos o recursos para incrementar la certeza y la longevidad de su seguridad. Las dos primeras etapas están diseñadas para garantizar la supervivencia general. Desafortunadamente, muchas personas nunca logran salir de estas dos primeras etapas debido a circunstancias desafortunadas, y puedes ver claramente por qué no están preocupadas por desarrollar su potencial.

La tercera etapa es el amor y la pertenencia. Ahora que tu supervivencia está asegurada, encontrarás que es relativamente vacía sin compartirla con las personas que te importan. Los seres humanos son criaturas sociales, y los estudios de casos han demostrado que vivir en aislamiento literalmente causará locura e inestabilidad mental, sin importar qué tan bien alimentado o seguro estés. Esto incluye las relaciones con tus amigos y familiares y socializar lo suficiente para que no sientas que estás fallando en tu vida social.

Por supuesto, esta etapa es un gran obstáculo para muchas personas: no pueden satisfacerse o concentrarse en deseos superiores porque carecen de las relaciones que crean un estilo de vida saludable. ¿No es fácil imaginar a alguien que está atrapado en un nivel bajo de felicidad porque no tiene amigos?

La cuarta etapa es la autoestima. Puedes tener relaciones, pero ¿son saludables como para hacerte sentir seguro y apoyado?

Esta etapa se trata de cómo tus interacciones con los demás afectan tu relación contigo mismo. Este es un nivel de madurez muy interesante en términos de necesidades porque se reduce a la autoaceptación. Sabes que tienes un nivel saludable de autoestima cuando puedes aceptarte a ti mismo incluso si los demás te malinterpretan o te desagradan. Para llegar a esta etapa y tener un nivel saludable de autoestima, debes haber acumulado ciertos logros o ganado el respeto de los demás. Existe una fuerte interacción entre cómo te llevas con los demás y ayudas a los demás y cómo te sientes contigo mismo.

La etapa final es la autorrealización. El nivel más alto de la jerarquía de Maslow es la autorrealización. Aquí es cuando puedes vivir para algo más alto que tú y tus necesidades. Sientes que necesitas conectarte con principios que requieren que vayas más allá de lo que es conveniente y cómodo. Este es el plano de la moralidad, la creatividad, la espontaneidad, la ausencia de prejuicios y la aceptación de la realidad.

La autorrealización se coloca en la parte superior de la pirámide porque esta es la necesidad más alta (y última) que tienen las personas. Todos los niveles inferiores deben cumplirse primero antes de que una persona pueda alcanzar este último nivel. Sabes que estás trabajando con alguien que opera a un nivel realmente alto cuando no se enfoca tanto en lo que es importante para él, su autoestima o cómo otras personas lo perciben. Esta es la etapa en la que se encuentran las personas cuando dicen que quieren encontrar su vocación y propósito en la vida.

Es posible que la teoría de Maslow no describa con precisión todos nuestros deseos diarios, pero proporciona un inventario de los trazos generales de lo que queremos en la vida. Podemos observar a las personas para comprender en qué etapa de la vida se encuentran, qué es actualmente importante para ellos y qué necesitan para pasar al siguiente nivel en la jerarquía.

Piensa en una consejera que trabaja en un refugio para mujeres. Puede usar la pirámide de necesidades para ayudarse a decidir cómo acercarse y comunicarse con las mujeres que van allí en busca de ayuda.

Sabe que cuando una mujer aparece por primera vez, lo que más le preocupa es su seguridad física. Si está huyendo de la violencia doméstica, tratando de conseguir fondos o está preocupada por el bienestar de sus hijos, no estará en condiciones de sentarse y trabajar en un cursi cuaderno de ejercicios de amor propio con la consejera. Al mismo tiempo, una mujer que ha estado en el refugio durante algunos meses tiene sus necesidades físicas satisfechas en gran medida, pero puede tener la mentalidad de necesitar sentir compañía y pertenencia. La consejera sabe que necesita hacerse amiga de esa mujer y apoyarla.

Sería completamente inútil tratar de hablar con cualquiera de estas mujeres sobre conceptos de alto nivel como perdonar compasivamente a su abusador o continuar para darle sentido a su historia. Por otro lado, una mujer que sobrevivió al abuso doméstico y se estaba recuperando bien podría tener necesidades más altas en la jerarquía y buscará más para sí misma. Una buena consejera utilizaría este conocimiento para pensar en el modo de hablarle a cada una de esas mujeres y adaptar sus consejos y apoyo para que coincida con la motivación más profunda de cada mujer. Sin duda, tal consejera sería descrita como una persona que comprende a los demás.

Pero digamos que la consejera se encuentra un día con una mujer que es golpeada hasta la muerte por su pareja, pero, sin embargo, niega que esté siendo abusada y simplemente cambia de tema cuando alguien lo menciona. ¿Qué está pasando aquí? La próxima sección explora una forma clave en la que las personas buscan placer, evitan el dolor y tratan de satisfacer sus necesidades, es decir, a través de mecanismos de defensa.

Defensa del ego

Protegerse de los demás es una razón frecuente de nuestro comportamiento, y estamos muy motivados para proteger al ego por muchas razones. El instinto del ego de protegerse a sí mismo puede desviar la realidad y causar deshonestidad intelectual masiva y autoengaño. Como tal, este es otro indicador altamente predecible que podemos utilizar para analizar el comportamiento de las personas.

Alguien que tenga un desempeño bajo en el trabajo puede sentir la necesidad de proteger sus habilidades y talentos percibidos al desviar la responsabilidad de: «El jefe siempre la tiene contra mí. ¿Y quién me entrenó? ¡Él! De una forma u otra, todo es culpa suya». Alguien que se tropieza y se cae, pero se cree perfecto culpará al hecho de que llovió hace seis días, sus zapatos no tienen una buena suela, y dirá: *¿quién puso esa piedra en medio del camino?* Alguien que no pueda entrar al equipo de baloncesto de la escuela se quejará de que el entrenador lo odiaba y que no estaba acostumbrado a ese estilo de juego en particular y, dirá que, de todos modos, no quería formar parte del equipo.

Esto es lo que pasa cuando el ego interviene para protegerse. Hay tanta justificación y desviación que es difícil saber qué es real y qué no.

Todo esto se deriva de la verdad universal de que a nadie le gusta equivocarse o fallar.

Es vergonzoso y confirma todas nuestras peores ansiedades sobre nosotros mismos. En lugar de aceptar estar equivocado o aprender la lección, nuestro primer instinto es huir de nuestra vergüenza y escondernos en un rincón. Esta es la misma razón por la que persistiremos en una discusión a muerte, incluso si sabemos que estamos cien por ciento equivocados. Si el ego fuese algo físico, sería de un tamaño considerable, sensible y fuertemente blindado (hasta el punto de pasar a la ofensiva), esencialmente un puercoespín gigante.

Cuando el ego percibe el peligro, no tiene interés ni tiempo para considerar los hechos. En su lugar, busca aliviar las molestias de la manera más rápida posible. Y eso significa que te mientes a ti mismo para mantener el ego sano y salvo.

Intentamos encubrir la verdad, desviar la atención de ella o desarrollar una versión alternativa que haga que la verdad real parezca menos hiriente. Y es justo en ese momento que nace la deshonestidad intelectual. ¿Es probable que alguna de esas intrincadas teorías resista algún tipo de escrutinio? Probablemente no, pero el problema es que el ego no permite el reconocimiento y el análisis de lo que realmente sucedió. Te ciega.

Seamos claros: estas no son mentiras que te imaginas o inventas de antemano. No tienes la *intención* de mentirte a ti mismo. Ni siquiera *sientes* que son mentiras. Quizá ni siquiera sepas que lo estás haciendo, ya que a veces estos mecanismos de defensa pueden ocurrir inconscientemente. No son intelectualmente deshonestos explícitamente porque quieras engañarte a ti mismo. Más bien, son estrategias automáticas que el ego constantemente neurótico pone en acción porque le aterroriza parecer tonto o estar equivocado. Desafortunadamente, esa es el peor lugar para estar, ya que significa que *no sabes lo que no sabes.*

Con el tiempo, estos errores de pensamiento impulsados por el ego informan todo tu sistema de creencias y te dan justificaciones racionalizadas para casi todo. Nunca formas parte de ningún equipo deportivo porque los entrenadores siempre te odian y sigues suspendiendo el examen de conducir porque tu coordinación mano-ojo es *excepcionalmente especial.*

Estas mentiras se convierten en toda tu realidad, y confías en ellas para superar situaciones problemáticas o descartar los esfuerzos por encontrar la verdad. No estamos hablando de simplemente dar excusas de por qué no eres un virtuoso del violín; esta forma de pensar puede convertirse en los factores que impulsan tus decisiones, pensamientos y evaluaciones de cualquier cosa y de cualquier persona.

Entonces, si estás luchando por comprender a alguien que no parece ser capaz de pronunciar las palabras «Estoy equivocado», ahora sabes exactamente lo que está pasando por su cabeza. Puede que no lo sepan, pero al menos puedes analizarlos más profundamente.

Tomemos a Fred. Fred fue un gran admirador de una estrella del pop toda su vida. Creció escuchando su música y formó gran parte de su identidad en torno a su admiración por él. Estamos hablando de toda una pared de su dormitorio llena de pósteres de esta estrella y atuendos que eran réplicas de la ropa de esta estrella colgada en su armario.

Al final de su carrera, esta estrella del pop fue procesada por un delito grave. Fred apoyó firmemente a su ídolo estrella del pop, incluso cuando los reporteros de los tribunales informaron a la prensa sobre detalles espeluznantes de su caso. «Nadie a quien admiro de esta manera sería culpable de algo así», dijo Fred. «Es solo una conspiración, un montaje hecho por personas que quieren hacerle un mal por la razón que sea».

La estrella del pop finalmente fue declarada culpable y sentenciada a varios años de prisión. Fred se había presentado fuera del juzgado con un cartel que protestaba por la inocencia de su estrella. Incluso cuando finalmente se entregaron pruebas convincentes a la prensa, Fred sostuvo que la estrella del pop era absolutamente inocente, desestimando todas las afirmaciones de las víctimas al protestar que estaban «celosas» y que «solo intentaban ser el centro de atención».

¿Por qué Fred seguiría insistiendo, contra toda evidencia razonable y demostrable, que su ídolo era inocente? Porque su ego estaba tan envuelto en su adoración a la estrella del pop que estaba predispuesto a considerarlo inocente. Para él, creer la verdad habría significado un golpe devastador para casi todo en lo que creía *(¿adoro a un criminal? ¿qué dice eso de mí?),* y el ego no iba a permitir que eso sucediera ni por un minuto, incluso si eso significaba hacerle negar la prueba convincente e inquebrantable de que la estrella era culpable.

En su búsqueda de la verdad y el pensamiento claro, su ego levantará su fea cabeza como el puercoespín enfurecido. Ha establecido una serie de barreras tácticas para evitar que aprendas algo que podría alterar tu sistema de creencias, y solo después de que puedas controlar tu ego estás abierto a aprender. Al fin y al cabo, no puedes defenderte y escuchar a la vez.

Los mecanismos de defensa son las formas específicas en que protegemos nuestro ego, orgullo y autoestima. Estos métodos nos mantienen íntegros en tiempos difíciles. El origen del término proviene de Sigmund Freud.

Estos llamados mecanismos de defensa también son un poderoso pronosticador del comportamiento y te darán una visión profunda de por qué las personas hacen lo que hacen. Los mecanismos de defensa pueden adoptar muchas formas variadas y coloridas, pero hay algunos patrones comunes que verás en otros (¡y con suerte en ti mismo!). Estos escudos psicológicos se levantan cuando el ego siente algo con lo que no está de acuerdo, que no puede enfrentar o que desea que no sea cierto.

Pérdida, rechazo, incertidumbre, malestar, humillación, soledad, fracaso, pánico... todo esto puede defenderse contra el uso de ciertos trucos mentales. Estos mecanismos están ahí para protegernos de experimentar emociones negativas. Funcionan en el momento, pero a la larga, son ineficaces, ya que nos roban la oportunidad de enfrentar, aceptar y digerir inevitablemente las emociones negativas a medida que van surgiendo.

Naturalmente, si puedes observar a alguien usando un mecanismo de defensa, instantáneamente puedes inferir mucho sobre esa persona y su mundo, particularmente sobre las cosas con las que se encuentra incapaz de lidiar. Esto, a su vez, te dice mucho sobre cómo se ven a sí mismos, sus fortalezas y debilidades, y lo que valoran. Veamos algunos mecanismos de defensa con ejemplos concretos. Posiblemente reconoces estos dos mecanismos de defensa propuestos por su hija, Anna Freud: negación y racionalización.

La **negación** es uno de los mecanismos de defensa más clásicos porque es fácil de utilizar. Supón que te das cuenta de que te estás desempeñando mal en tu trabajo. «No, no creo que ese informe clasifique a todos los empleados. No puede ser que yo sea el último. Por nada del mundo. El ordenador ha sumado incorrectamente todas las puntuaciones».

Lo que es verdadero simplemente se afirma que es falso, como si eso hiciera que todo desapareciera. Actúas como si no existiera un hecho negativo. A veces no nos damos cuenta cuando hacemos esto, especialmente en situaciones que son tan terribles que en realidad nos parecen fantásticas.

Todo lo que tienes que hacer es decir «no» con suficiente frecuencia y podrías empezar a creer en ti mismo, y ahí es donde reside el atractivo de la negación. De hecho, estás cambiando tu realidad, donde otros mecanismos de defensa simplemente la hacen girar para que sea más aceptable. Este es en realidad el mecanismo de defensa más peligroso, porque incluso si hay un problema grave, se ignora y nunca se soluciona. Si una persona seguía creyendo que era un excelente conductor, a pesar de una serie de accidentes en el último año, es poco probable que alguna vez intente practicar sus habilidades de conducción.

La **racionalización** es cuando explicas algo negativo.

Es el arte de dar excusas. El mal comportamiento o hecho aún permanece, pero se convierte en algo inevitable debido a circunstancias fuera de tu control. La conclusión es que cualquier cosa negativa no es culpa tuya y no debes responsabilizarte por ello. Nunca es un atentado contra tus habilidades. Es extremadamente conveniente y solo estás limitado por tu imaginación.

Sobre la base del mismo ejemplo anterior de desempeño laboral deficiente, esto se explica fácilmente por lo siguiente: tu jefe te odia en secreto, tus compañeros de trabajo conspiran contra ti, el ordenador está influenciado en contra de tus habilidades básicas, el tráfico impredecible que afecta tu viaje y tener dos trabajos al mismo tiempo. Estas endebles excusas son lo que tu ego necesita para protegerse.

La racionalización es la encarnación de la *fábula del zorro y las uvas.* Un zorro quería alcanzar unas uvas en lo alto de un arbusto, pero no podía saltar lo suficientemente alto. Para sentirse mejor por su falta de habilidad para saltar, y para consolarse por su falta de uvas, se dijo a sí mismo que las uvas parecían amargas, de todos modos, por lo que no se estaba perdiendo nada. Todavía tenía hambre, pero prefería pasar hambre antes que admitir su fracaso.

La racionalización también puede ayudarnos a sentirnos en paz con las malas decisiones que hemos tomado, con frases como, «iba a suceder en algún momento, de todos modos». La racionalización asegura que nunca tendrás que enfrentar el fracaso, el rechazo o la negatividad. ¡Siempre es culpa de otra persona!

Si bien es reconfortante, ¿a dónde van a parar la realidad y la verdad en medio de todo esto? A ninguna parte. La honestidad intelectual requiere que primero derrotes tus tendencias naturales a ser deshonesto. Los pensamientos dictados por la autoprotección no se superponen con pensamientos claros y objetivos.

Estrechamente asociada está la **represión**. Mientras que en la negación la realidad es directamente rechazada o repudiada, la represión es cuando una persona empuja el pensamiento o sentimiento tan lejos de la conciencia, que lo «olvida». Es como si la emoción amenazante nunca hubiera existido en primer lugar. Un ejemplo podría ser un niño que sufre de abusos. Debido a que es tan doloroso y porque no tiene forma de ayudarse a sí mismo, es posible que empuje el recuerdo tan lejos que nunca tenga que lidiar con él.

A veces, la emoción abrumadora no es bienvenida, pero lo que es realmente inaceptable para el ego es de dónde proviene. En tal caso, el desplazamiento puede ocurrir como una protección contra verdades desagradables. Una mujer puede tener un trabajo que odia, pero realmente no puede dejarlo. Simplemente, no puede expresar ni siquiera reconocer que le molesta su trabajo porque esto atrae una atención amenazante sobre su problema económico. Sin embargo, lo que podría hacer es tomar ese resentimiento y ponerlo en otra parte. Puede llegar a casa todos los días y darle una patada al perro o gritarles a sus hijos, convencida de que son ellos quienes la hacen enfadar. Es más fácil y menos arriesgado confrontar sus sentimientos de ira cuando están dirigidos a sus mascotas o niños.

La proyección es un mecanismo de defensa que puede causar un daño considerable y un caos si no se entiende lo que es. En este caso, colocamos sentimientos no deseados y no reclamados sobre alguien o algo más en lugar de ver que son parte de nosotros mismos. No reconocemos nuestro propio «lado oscuro» y lo proyectamos en los demás, culpándolos por nuestras deficiencias o viendo nuestras fallas en sus acciones.

Un ejemplo es un hombre que engaña a su esposa. Él encuentra su propio comportamiento inaceptable, pero en lugar de permitirse condenar sus propias acciones, proyecta esa vergüenza sobre su (desconcertada) pareja y de repente sospecha de su comportamiento, acusándola de ocultarle algo.

El ejemplo de un hombre descaradamente homofóbico que luego se revela que es gay es tan común ahora que es casi cómico. La *formación reactiva* podría estar detrás de esto. Mientras que la negación simplemente dice: «Esto no está sucediendo», la formación reactiva va un paso más allá y afirma: «No solo eso no está sucediendo, sino que es exactamente lo contrario. ¡Mira!».

Una mujer podría estar aterrorizada por su nuevo diagnóstico de cáncer y, en lugar de admitir su miedo, muestra a todos que es valiente, predicando a los demás acerca de que la muerte no es nada que temer.

En momentos de angustia emocional extrema, es posible que *retrocedas* a un momento más simple (es decir, la infancia). Cuando eras joven, la vida era más fácil y menos exigente: para hacer frente a las emociones amenazadoras, muchos de nosotros regresamos allí, actuando de un modo «infantil» como una forma de afrontar la situación. Un hombre podría estar enfrentando algunos problemas legales por una mala declaración de impuestos. En lugar de enfrentar la situación, empieza a gritar a su contable, golpea la mesa con los puños haciendo una «rabieta» y luego hace pucheros cuando la gente trata de razonar con él.

Finalmente, llegamos a la **sublimación**. De la misma forma en que la proyección y el desplazamiento toman las emociones negativas y las ponen en otro lugar, la sublimación toma esa emoción y la canaliza a través de una salida diferente y más aceptable. Un hombre soltero puede encontrar insoportable la soledad en su hogar y buscar otros medios para no sentirse solo haciendo obras de caridad cuatro noches a la semana. Una mujer puede recibir malas noticias, pero en lugar de enfadarse, se va a casa y procede a hacer una limpieza profunda de su hogar. Una persona puede convertir rutinariamente el pánico y la ansiedad en una dedicación a la oración, y así sucesivamente.

La defensa del ego es un hábito desagradable, pero es fácil de reconocer cuando se sabe de su capciosa presencia. A veces no podemos evitarlo; todos somos humanos. Pero podemos utilizar esto a nuestro favor usándolo claramente para analizar a las personas.

Aportes

- Hemos hablado de analizar y predecir el comportamiento en función de las emociones y los valores de las personas, pero ¿qué ocurre con la motivación? Resulta que hay algunos modelos de motivación prominentes y bastante universales que pueden brindarte un marco útil para comprender a las personas. Cuando puedes identificar lo que motiva a las personas, puedes ver cómo todo lleva al punto de regreso, ya sea directa o indirectamente.

- Cualquier discusión sobre la motivación debe comenzar con el principio del placer, que generalmente establece que nos movemos hacia el placer y nos alejamos del dolor. Si lo piensas bien, esto es omnipresente en nuestra vida diaria, tanto en formas minúsculas como enormes. Como tal, esto hace que la gente sea más predecible de entender. ¿Cuál es el placer que buscan las personas y cuál es el dolor que están evitando? Siempre está ahí de alguna manera.

- A continuación, pasamos a la pirámide de necesidades, también conocida como jerarquía de necesidades de Abraham Maslow. Afirma que todos buscamos varios tipos de necesidades en varios puntos de nuestras vidas; cuando puedes observar en qué nivel se encuentran otras personas, puedes comprender lo que buscan y lo que los motiva. Los niveles de la jerarquía son los siguientes: realización fisiológica, seguridad, amor y pertenencia, autoestima y autorrealización. Por supuesto, este modelo, al igual que el siguiente, también funciona según el principio del placer.

- Finalmente, llegamos a la defensa del ego. Este es uno de nuestros motivadores más poderosos, pero en su mayoría es inconsciente. En pocas palabras, actuamos para proteger nuestro ego de cualquier cosa que nos haga sentir psicológicamente *menos*. Al hacerlo, es tan poderoso que nos permite doblar la realidad y mentirnos a nosotros mismos y a los demás, todo fuera de nuestra percepción consciente. Los mecanismos de defensa son las formas en que evitamos la responsabilidad y los sentimientos negativos, e incluyen la negación, la racionalización, la proyección, la sublimación, la regresión, el desplazamiento, la represión y la formación de reacciones, por nombrar algunos. Cuando sabes que el ego está en juego, a menudo ocupa un lugar destacado por encima de otras motivaciones.

Capítulo 2 El cuerpo, la cara y los grupos

La idea de que las personas no pueden evitar revelar sus verdaderas intenciones y sentimientos de una forma u otra es atractiva. Las personas pueden decir lo que quieran, pero siempre se ha entendido que «las acciones hablan más que las palabras» y que las expresiones faciales o el lenguaje corporal de las personas pueden revelar inadvertidamente su ser más profundo. De hecho, nos estamos comunicando todo el tiempo, enviando información sobre nuestras intenciones y sentimientos, pero solo una pequeña fracción de esto es verbal.

Observar las acciones y el comportamiento de las personas en tiempo real es lo que comúnmente entendemos por analizar a las personas. Puede parecer natural mirar los cuerpos físicos de las personas en el espacio para intuir lo que está sucediendo en sus cabezas, y hay mucha evidencia científica que respalda estas afirmaciones. La apariencia física puede decirte mucho sobre los sentimientos, las motivaciones y los miedos de una persona, incluso si está tratando de ocultarlo activamente. En otras palabras, ¡el cuerpo no miente!

Sin embargo, este acercamiento para comprender las motivaciones de las personas no es infalible. Cuando interactuamos con otros y tratamos de comprender qué los motiva, es importante tener cuidado al hacer suposiciones. Todos somos personas y el contexto es muy importante. Aunque podemos utilizar varios métodos para leer las expresiones faciales y el lenguaje corporal, vale la pena recordar que ningún dato es suficiente para «probar» nada, y que el arte de leer a las personas de esta manera se reduce a adoptar una visión holística del escenario completo a medida que se desarrolla frente a ti.

Mírame a la cara

Comencemos con Haggard e Isaacs en la década de 1960. Filmaron los rostros de las parejas durante la terapia y notaron pequeñas expresiones que solo podían captarse cuando la película se ponía en cámara lenta. Más tarde, Paul Ekman amplió su propia teoría sobre *microexpresiones* y publicó un libro, Diciendo mentiras.

Todos sabemos cómo leer *macroexpresiones*, esos movimientos faciales que duran hasta cuatro segundos, pero hay expresiones más rápidas y fugaces que son tan rápidas que el ojo inexperto podría pasarlas por alto fácilmente. Según Ekman, las expresiones faciales son en realidad reacciones fisiológicas. Estas expresiones ocurren incluso cuando no estás cerca de nadie que pueda verlas. Descubrió que, en todas las culturas, las personas usaban microexpresiones para mostrar sus emociones en sus rostros de maneras muy predecibles, incluso cuando intentaban ocultarlas o incluso cuando ellos mismos no eran conscientes de la emoción.

Su investigación lo llevó a creer que las microexpresiones son pequeñas contracciones espontáneas de ciertos grupos de músculos que están prediciblemente relacionados con las emociones y son iguales en todas las personas, independientemente de su educación, antecedentes o expectativas culturales. Pueden ser tan rápidas como una trigésima parte de un segundo de duración. Pero captarlos y comprender lo que significan es una forma de atravesar lo que simplemente se dice para llegar a la verdad más profunda de lo que la gente siente y cree. Las macroexpresiones pueden ser, hasta cierto punto, forzadas o exageradas, pero se entiende que las microexpresiones son más genuinas y difíciles de fingir o que sugieren emociones ocultas o que cambian rápidamente.

Dentro del cerebro, hay dos vías neuronales relacionadas con las expresiones faciales. La primera es el tracto piramidal, responsable de las expresiones voluntarias (es decir, la mayoría de las macroexpresiones) y el tracto extrapiramidal, responsable de las expresiones faciales emocionales involuntarias (es decir, microexpresiones). Los investigadores han descubierto que las personas que experimentan situaciones emocionales intensas, pero también presión externa para controlar u ocultar esa expresión, mostrarán actividad en ambas vías cerebrales. Esto sugiere que están trabajando unos contra otros, con las expresiones más conscientes y voluntarias dominando las involuntarias. Sin embargo, algunas pequeñas expresiones de la emoción real pueden «filtrarse»; esto es lo que buscas cuando intentas leer a una persona de esta manera.

Entonces, ¿exactamente cómo se aprende a leer estas expresiones? ¿Realmente puedes descifrar los sentimientos más profundos de una persona con solo mirar un movimiento de su nariz o una arruga en su frente?

Según Ekman, hay seis emociones humanas universales, todas con las correspondientes minúsculas expresiones faciales. La felicidad se ve en las mejillas levantadas, con las comisuras de la boca hacia arriba y hacia atrás. Aparecen arrugas debajo de los ojos, entre el labio superior y la nariz, y en la esquina exterior de los ojos. En otras palabras, los movimientos con los que todos estamos familiarizados en una sonrisa ordinaria también se encuentran en un nivel micro.

Las microexpresiones que sugieren tristeza también son lo que cabría esperar. La esquina exterior de los ojos se inclina hacia abajo, junto con las comisuras de los labios. El labio inferior incluso puede temblar. Las cejas pueden formar un triángulo revelador. Para la emoción del disgusto, el labio superior se levanta y puede ir acompañado de arrugas por encima y arrugas en la frente. Los ojos pueden estrecharse levemente a medida que se levantan las mejillas.

Para el enfado, las cejas se bajan y se tensan, a menudo en un ángulo hacia abajo. Los ojos también se tensan y los labios pueden fruncirse o mantenerse rígidamente abiertos. Los ojos están fijos y penetrantes.

El miedo, en cambio, conlleva contracciones similares pero ascendentes. Ya sea abierta o cerrada, la boca está tensa y los párpados superior e inferior están levantados. Finalmente, la sorpresa o la conmoción se manifestará en las cejas elevadas, redondeadas en lugar de triangulares, como con la tristeza. Los párpados superiores se levantan y los párpados inferiores se estiran hacia abajo, abriendo los ojos de par en par. A veces, la mandíbula puede colgar sin estar apretada.

Como puedes ver, las microexpresiones no son muy diferentes de las macroexpresiones en los músculos involucrados; la principal diferencia está en su velocidad. Sin embargo, Ekman demostró que estos rápidos destellos de contracción muscular son tan rápidos que la gente no los percibe: el noventa y nueve por ciento de las personas no se dieron cuenta. Sin embargo, también afirma que se puede entrenar a las personas para buscar microexpresiones y, en particular, aprender a detectar mentirosos, un ejemplo clásico de decir una cosa y sentir otra.

Ekman afirma ser capaz de enseñar su técnica en treinta y dos horas, pero para aquellos de nosotros que sentimos curiosidad por utilizar los principios en nuestras propias vidas, es fácil empezar. En primer lugar, busca discrepancias entre lo que se dice y lo que realmente se demuestra a través de expresiones faciales. Por ejemplo, alguien podría estar asegurándote verbalmente y haciéndote promesas, pero mostrando expresiones rápidas de miedo que delatan su posición real.

Otros indicadores clásicos de que te están mintiendo incluyen levantar ligeramente los hombros mientras alguien confirma con vehemencia la verdad de lo que están diciendo. Rascarse la nariz, mover la cabeza hacia un lado, evitar el contacto visual, la incertidumbre al hablar y la inquietud general también indican que la realidad interna de una persona no se alinea exactamente con la externa, es decir, podría estar mintiendo.

Nuevamente, vale la pena mencionar aquí que este no es un método infalible y que la investigación en su mayoría no ha logrado encontrar una relación sólida entre el lenguaje corporal, la expresión facial y el engaño. Ningún gesto por sí solo indica nada. Desde entonces, muchos psicólogos han señalado que las discrepancias en las microexpresiones en realidad pueden indicar malestar, nerviosismo, estrés o tensión, sin que se trate de un engaño.

Sin embargo, cuando se usa como herramienta junto con otras herramientas, y cuando se toma en contexto, el análisis de microexpresiones puede ser poderoso. Por supuesto, tendrás que mirar fijamente a la persona y observarla de una forma que sea incómoda y demasiado obvia para situaciones sociales normales. También tendrás que eliminar toneladas de datos irrelevantes y decidir qué gestos cuentan como «ruido» o idiosincrasias sin sentido.

En cualquier caso, se ha demostrado que las personas que carecen de la formación necesaria son sorprendentemente malas para detectar mentirosos, a pesar de sentir que sus intuiciones sobre el engaño de los demás son fiables. Esto significa que incluso un ligero incremento en la precisión que puedas obtener al comprender e implementar la teoría de la microexpresión puede marcar la diferencia. Una microexpresión puede ser pequeña, pero sigue siendo un punto de datos.

Toda esta charla sobre desenmascarar a los mentirosos puede hacer que esta técnica parezca bastante combativa y solapada, pero Ekman tiene cuidado de señalar que las «mentiras» y el «engaño», tal como los plantea, también puede indicar el ocultamiento de una emoción y no necesariamente una intención maliciosa. Ciertamente, hay un atractivo en jugar al detective y descubrir los sentimientos secretos de las personas, pero en realidad, el uso del análisis de microexpresiones es un poco como CSI: siempre se ve un poco más impresionante en la televisión que en la vida real. Además, el objetivo de desarrollar la habilidad del análisis de microexpresiones no es jugar a «¡te pillé!» con nuestros amigos y colegas, sino más bien para mejorar nuestra propia empatía e inteligencia emocional y fomentar una comprensión más rica de las personas que nos rodean.

Si no estás convencido de usar microexpresiones para detectar el engaño, otra perspectiva es no buscar mentiras o clasificar expresiones según su duración, sino más bien observar lo que una expresión transmite típicamente. Luego, según el contexto, puedes llegar a tus propias conclusiones y cómo se compara la expresión con lo que se dice de forma *verbal*.

El nerviosismo suele estar detrás de cosas como apretar los labios o mover las comisuras de la boca muy rápidamente hacia la oreja. Los labios o la barbilla temblorosos, el ceño fruncido, los ojos entrecerrados y los labios apretados también pueden indicar que la persona está tensa. Si una persona que conoces normalmente está tranquila y serena, pero de repente notas muchos de estos pequeños signos mientras te cuentan una historia que no te acabas de creer, podrías deducir que, por alguna razón, está nerviosa por contártelo. Ya sea porque está mintiendo o porque su historia es simplemente incómoda de contar, solo tú puedes decidir en función del contexto.

Una persona que siente disgusto o desacuerdo puede fruncir los labios con fuerza, poner los ojos en blanco, mover los párpados brevemente o arrugar la nariz. También podría entrecerrar los ojos un poco como un villano de dibujos animados mirando al héroe, cerrar los ojos o hacer alguna mueca. Si una persona abre el regalo de Navidad que le acabas de dar e inmediatamente procede a hacer todo lo anterior, quizá supongas que no le gusta mucho su regalo, a pesar de que te diga lo contrario.

Aquellos que están lidiando con el estrés pueden encontrar pequeñas formas de liberar ese estrés, delatándose a pesar de que en su mayor parte parecen bastante tranquilos. Parpadear rápido y de forma incontrolable y hacer movimientos repetitivos como mover las mejillas, morderse la lengua o tocarse partes de la cara con los dedos pueden indicar que alguien está en una situación particular estresante. Esto puede tener sentido cuando alguien está en una entrevista de trabajo o es interrogado en relación con un crimen, pero puede ser más llamativo si lo detectas en situaciones aparentemente tranquilas. Esta discrepancia te da una pista de que es posible que no todo sea como parece.

Presta atención también a la asimetría en las expresiones faciales. Las expresiones de emoción naturales, espontáneas y genuinas tienden a ser simétricas. Las expresiones forzadas, falsas o conflictivas tienden a no serlo. Y nuevamente, intenta interpretar lo que ves en contexto y considera a la persona en su totalidad, incluido otro lenguaje corporal.

Recuerda que analizar las expresiones faciales es un método poderoso para comprender a los demás que es más que «superficial», pero no es infalible. Cada observación que haces es simplemente un punto de datos y no prueba nada de ninguna manera. La habilidad consiste en recopilar tantos datos como sea posible e interpretar todo el patrón emergente ante ti, en lugar de solo uno o dos signos. Por esta razón, es mejor utilizar lo que sabes sobre microexpresiones como complemento de otros métodos y herramientas.

Lenguaje corporal

El lenguaje corporal, por ejemplo, puede ser un lenguaje tan poderoso para aprender a leer y comprender como las expresiones faciales. Después de todo, la cara es simplemente una parte del cuerpo. ¿Por qué concentrarse en una sola parte cuando las posturas y los movimientos generales de las personas pueden hablar con la misma elocuencia? El ex agente del FBI Joe Navarro es considerado una autoridad en este campo y ha utilizado su experiencia para enseñar a otros sobre la gran cantidad de información que la gente comparte sin siquiera abrir la boca (es decir, lo que él llama «comunicación no verbal»).

Originario de Cuba, tuvo que aprender inglés después de mudarse a los Estados Unidos cuando tenía ocho años, Navarro rápidamente llegó a apreciar cómo el cuerpo humano era «una especie de valla publicitaria que anunciaba lo que una persona estaba pensando». Durante su carrera, habló extensamente sobre cómo aprender a detectar los «indicios» de las personas, esos pequeños movimientos que sugieren que alguien se siente incómodo, hostil, relajado o temeroso.

Al igual que con las expresiones faciales, estos indicios pueden insinuar engaños o mentiras, pero principalmente indican que alguien se siente incómodo o que hay una discrepancia entre lo que se siente y lo que se expresa. Armados con una comprensión de cómo funciona el lenguaje corporal, no solo podemos abrir nuevos canales para comunicarnos con los demás, sino también prestar atención a nuestros propios cuerpos y a los mensajes que podemos estar enviando inconscientemente a los demás.

En primer lugar, es importante comprender que la comunicación no verbal es intrínseca, biológica y es el resultado de la evolución. Nuestras respuestas emocionales a ciertas cosas son ultrarrápidas y ocurren espontáneamente, lo queramos o no. Es importante destacar que se expresan físicamente en la forma en que sostenemos y movemos nuestros cuerpos en el espacio, lo que potencialmente resulta en la transmisión de miles de mensajes no verbales.

Es la parte más primitiva, emocional y quizás honesta de nuestro cerebro, el cerebro límbico, el responsable de estas respuestas automáticas. Si bien la corteza prefrontal (la parte más intelectual y abstracta) está un poco alejada del cuerpo y más bajo control consciente, también es la parte que es capaz de mentir. Pero, aunque una persona pueda decir una cosa, su cuerpo siempre dirá la verdad. Si puedes sintonizarte con los gestos, movimientos, posturas, patrones de contacto e incluso con la ropa que usa una persona, te das un canal más directo hacia lo que *realmente* piensa y siente esa persona. Navarro afirma que la mayoría de la comunicación es, de todos modos, no verbal, lo que significa que te estás perdiendo activamente la mayor parte del mensaje al no considerar el lenguaje corporal.

Considera que la comunicación comenzó de forma no verbal. Tiempos atrás, antes del desarrollo del lenguaje, la humanidad probablemente se comunicaba mediante gestos, sonidos simples y expresiones faciales. De hecho, desde el momento en que nace un bebé, instintivamente hace muecas para comunicar que tiene frío, hambre o miedo. Nunca necesitamos que nos enseñen cómo leer gestos básicos o comprender los tonos de voz; esto se debe a que la comunicación no verbal fue nuestro primer medio de comunicación y aún puede ser nuestra forma preferida.

Piensa en todas las formas en que ya das por sentada la comunicación no verbal, en la forma en que muestras amor o demuestras tu enfado. Incluso si no lo sabes, todos seguimos procesando grandes cantidades de información en canales no verbales. Aprende a leer esta información y podrás determinar si alguien está tratando de engañarte o tal vez si alguien está tratando de ocultarte sus sentimientos y verdaderas intenciones.

Probablemente hayas oído hablar de la respuesta de «pelea o huida» antes, pero hay una tercera posibilidad: congelarte. Es más, estas respuestas al peligro pueden ser bastante sutiles, pero, sin embargo, hablan de la incomodidad y el miedo. Nuestros antepasados podrían haber mostrado pelea o huida cuando huían de depredadores o tribus enemigas, pero esos instintos podrían habernos seguido a la sala de juntas o al aula.

El cerebro límbico es nuevamente responsable de estas respuestas de miedo. Alguien a quien se le hace una pregunta difícil o se le pone en la mira puede parecer como un cervatillo atrapado por los faros. Pueden cerrar sus piernas alrededor de una silla y permanecer firmes en esa posición (esta es la respuesta de congelación). Otra posibilidad es alejar físicamente el cuerpo de lo que se percibe como amenazante. Una persona puede poner un objeto en su regazo o colocar sus extremidades hacia la salida (la respuesta de vuelo). Finalmente, una tercera persona puede «pelear». Esta respuesta agresiva al miedo puede manifestarse eligiendo argumentos, «entrenando» verbalmente o adoptando gestos amenazantes.

De hecho, cuanto más competente te vuelvas en la lectura de señales no verbales, más podrás llegar a apreciar cuán fundamentalmente físicas son y cuánto hablan de nuestra historia evolutiva compartida. En el pasado, podríamos haber defendido literalmente un ataque con ciertos gestos o, de hecho, nos hubiésemos propuesto atacar a otro con movimientos y expresiones muy obvias. Hoy día, nuestro mundo es muy abstracto y las cosas que nos amenazan son más verbales y conceptuales, pero la vieja maquinaria para la expresión, el miedo, la agresión, la curiosidad, etc. todavía está ahí, solo que quizás expresada de una forma un poco más sutil.

Consideremos los llamados «comportamientos pacificadores». Estos pueden ofrecer una visión clave de alguien que se siente estresado, inseguro o amenazado. Esencialmente, un comportamiento pacificador es lo que parece: el intento (inconsciente) de calmarse a sí mismo frente a una amenaza percibida. Cuando nos sentimos estresados, nuestro cerebro límbico puede obligarnos a hacer pequeños gestos diseñados para calmarnos: tocarnos la frente, frotarnos el cuello, juguetear con el cabello o retorcer las manos son comportamientos destinados a aliviar el estrés.

El cuello es un área vulnerable del cuerpo, pero relativamente expuesta. Piensa en lo agresiva que la gente «va hacia la yugular» y comprenderás cómo la garganta y el cuello pueden sentirse inconscientemente como un área abierta para un ataque fatal. Entonces tiene sentido que alguien que cubre o acaricia inconscientemente esta área esté expresando su lucha, malestar emocional o inseguridad. Los hombres pueden utilizar este gesto con más frecuencia que las mujeres; los hombres pueden jugar con sus corbatas o apretar la parte superior del cuello, mientras que las mujeres pueden poner los dedos en la muesca supraesternal (la muesca entre las clavículas) o jugar nerviosas con un collar.

Presta atención a este comportamiento y notarás cómo revela los miedos e inseguridades de alguien en tiempo real. Alguien puede decir algo un poco agresivo y otra persona responde inclinándose ligeramente hacia atrás, cruzando los brazos y llevándose una mano a la garganta. Nota esto en tiempo real y puedes deducir que esta declaración en particular ha despertado algo de miedo e incertidumbre.

De manera similar, frotarse o tocarse la frente o las sienes puede indicar angustia emocional o estar abrumado. Un toque rápido con los dedos puede revelar una sensación momentánea de estrés, mientras que un apoyo prolongado de la cabeza con ambas manos puede significar una angustia extrema. De hecho, puedes considerar cualquier movimiento de acunar, acariciar o frotar como la pista física de la necesidad de una persona de apaciguarse a sí misma. Esto podría significar tocarse las mejillas cuando la persona se sienta nerviosa o asustada, frotarse o lamerse los labios, masajear los lóbulos de las orejas o pasar los dedos por el cabello o la barba.

Sin embargo, los comportamientos pacificadores no son solo cosas que les gusta acariciar o frotar. Inflar las mejillas y exhalar en voz alta también es un gesto que libera un estrés considerable. ¿Alguna vez has notado cuántas personas harán esto después de escuchar malas noticias o escapar por poco de un accidente? Una respuesta inesperada de liberación de estrés es el bostezo; en lugar de indicar aburrimiento, el intento repentino del cuerpo de extraer más oxígeno durante los momentos estresantes se ve incluso en otros animales. La «limpieza de piernas» es otra, y consiste en limpiar las piernas como para cepillarlas o quitar el polvo. Esto se puede perder si está escondido debajo de una mesa, pero si puedes notarlo, es una fuerte indicación de un intento de calmarse a sí mismo durante los momentos estresantes.

«Ventilar» es otro comportamiento al que quizás no le prestes mucha atención. Observa a alguien quitarse el cuello de la camisa o el cabello de los hombros como para refrescarse. Es probable que sientan incomodidad o tensión. Aunque esto puede deberse literalmente a un entorno incómodo, es más probable que sea una respuesta a la tensión interna y al estrés que necesita «refrescarse».

Una de las formas más obvias de comportamiento pacificador se parece exactamente a lo que una madre podría hacer con un niño pequeño para calmarlo: acunar y abrazar el propio cuerpo o frotar los hombros como para protegerse de un escalofrío, todo sugiere una persona que se siente amenazada, preocupada o abrumada: estos gestos son una forma inconsciente de proteger el cuerpo.

Este es un principio subyacente importante en toda la teoría del lenguaje corporal: que las extremidades y los gestos pueden indicar intentos inconscientes de proteger y defender el cuerpo. Cuando consideras que el torso contiene todos los órganos vitales del cuerpo, puedes entender por qué el cerebro límbico tiene respuestas reflejas para proteger esta área cuando se perciben amenazas, incluso amenazas emocionales.

Alguien que no responde mucho a una solicitud o que se siente atacado o criticado puede cruzarse de brazos como diciendo: «Aléjate». Levantar los brazos al pecho durante una discusión es un gesto clásico de bloqueo, casi como si las palabras que se intercambian fueran literalmente lanzadas, provocando un reflejo inconsciente para rechazarlas. En una nota similar, los brazos caídos y sueltos pueden indicar derrota, decepción o desesperación. Es como si el cuerpo estuviera transmitiendo físicamente el sentimiento no físico de «No puedo hacer esto. No sé qué hacer. Me doy por vencido».

Vayamos más lejos. Imagina a alguien de pie sobre un escritorio, con los brazos abiertos. ¿No te recuerda inmediatamente a un animal que reclama territorio? Los gestos amplios y expansivos indican confianza, asertividad e incluso dominio. Si una persona está de pie con los brazos en jarras, deja su torso expuesto. Esta es una forma poderosa de comunicar que confían en ocupar espacio y que no se sienten amenazados o inseguros en lo más mínimo.

Otros gestos de confianza y asertividad incluyen el favorito de políticos y empresarios de todo el mundo: unir las yemas de los dedos de ambas manos. Las yemas de los dedos se presionan juntas para formar un pequeño campanario. Es el clásico gesto de negociación, que indica confianza, equilibrio y certeza sobre tu poder y posición, como si las manos simplemente estuvieran descansando y contemplando con calma su próximo movimiento.

Por otro lado, retorcerse y frotarse las manos es más probable que demuestre una falta de sensación de control o duda sobre las propias habilidades. Nuevamente, este es un gesto pacificador diseñado para liberar la tensión. Las manos son nuestras herramientas para efectuar cambios en el mundo y llevar a cabo nuestras acciones. Cuando nos inquietamos, nos retorcemos las manos o apretamos los puños, estamos demostrando una falta de facilidad y confianza en nuestras habilidades o nos resulta difícil actuar con seguridad.

¿Y qué hay de las piernas? A menudo las pasamos por alto, ya que pueden estar ocultas debajo de un escritorio, pero las piernas y los pies también son indicadores poderosos. Los «pies felices» pueden balancearse y agitarse; por otro lado, las piernas que brincan junto con otros gestos nerviosos o pacificadores pueden indicar un exceso de tensión nerviosa y energía o impaciencia... o demasiado café, tú decides. Los dedos de los pies que apuntan hacia arriba se pueden considerar como pies «sonrientes» e indican sentimientos positivos y optimistas.

Fisiológicamente, nuestras piernas y pies tienen que ver con el movimiento, como era de esperar. ¡Los pies ocupados podrían sugerir un deseo no expresado de ponerse en movimiento, ya sea literal o en sentido figurado! También se ha dicho que los pies apuntan en la dirección en la que inconscientemente desean ir. Ambos dedos de los pies girados hacia el interlocutor pueden indicar «Estoy aquí contigo; estoy presente en esta conversación», mientras que los pies en ángulo hacia una salida podrían ser una pista de que la persona realmente preferiría irse.

Otras pistas de que alguien quiere moverse, irse o escapar son gestos como agarrar las rodillas, balancearse hacia arriba y hacia abajo en la punta de los pies o pararse con un poco de rebote en el paso; todo esto comunica sutilmente a alguien la mente inconsciente ha «encendido los motores» y quiere ponerse en marcha. Esto podría significar que están entusiasmados con las posibilidades y quieren comenzar lo antes posible, o pueden tener una gran aversión por la situación actual y casi literalmente quieren «huir». Una vez más, ¡el contexto es importante!

Las piernas y los pies también pueden revelar emociones negativas. Cruzar las piernas, al igual que los brazos, puede indicar el deseo de cerrar o proteger el cuerpo de una amenaza o malestar percibido. Las piernas cruzadas a menudo están inclinadas hacia una persona que nos agrada y en la que confiamos, y lejos de alguien que no nos gusta. Esto se debe a que las piernas se pueden usar como barrera, ya sea para protegerse o para dar la bienvenida a la presencia de alguien. Las mujeres pueden colgar los zapatos de las puntas de los dedos de los pies en momentos de coqueteo, poniéndose y quitándose un zapato del talón nuevamente. Sin ser demasiado freudiano al respecto, la exhibición de pies y piernas puede indicar comodidad e incluso intimidad con alguien. Por otro lado, bloquear los pies y los tobillos puede ser parte de una respuesta de congelación cuando a alguien *realmente* no le gusta una situación o persona.

Entonces, habiendo discutido la cara, las manos, las piernas y los pies, y el torso en general, ¿qué más hay? Pues resulta que mucho más. El cuerpo en su conjunto puede colocarse en el espacio de determinadas formas, mantenerse en determinadas posturas o acercarse o alejarse de otras personas. La próxima vez que conozcas a alguien nuevo, inclínate para estrecharle la mano y luego observa lo que hace con todo su cuerpo.

Si «se mantiene firme» y se queda en su lugar, estará demostrando comodidad con la situación, contigo y con ellos mismos. Dar un paso atrás o girar todo el torso y los pies hacia un lado sugiere que es posible que te hayas acercado demasiado para su comodidad. Incluso pueden acercarse un paso más, lo que indica que están contentos con el contacto e incluso pueden intensificarlo aún más.

El principio general es bastante obvio: los cuerpos se expanden cuando están cómodos, felices o dominantes. Se contraen cuando están infelices, temerosos o amenazados. Los cuerpos se mueven hacia lo que les gusta y se alejan de lo que no les gusta. Inclinarse hacia una persona puede mostrar acuerdo, comodidad, coqueteo, facilidad e interés. Del mismo modo, cruzar los brazos, dar la vuelta, inclinarse hacia atrás y usar las piernas fuertemente cruzadas como barrera muestran el intento inconsciente de una persona de alejarse o protegerse de algo no deseado.

¿Esas personas que se dispersan en el transporte público? Se sienten relajados, seguros y confiados (molesto, ¿verdad?). Aquellos que parecen agruparse lo más estrechamente posible, en cambio, pueden indicar una baja confianza y asertividad, como si siempre estuvieran tratando de ocupar menos espacio. De manera similar, inflar el pecho y extender los brazos en una postura agresiva comunica: «¡Mira lo grande que soy!» en una discusión, mientras que levantar los hombros y «dar vueltas» sobre uno mismo es decir de manera no verbal: «¡Por favor, no me lastimes, mira lo pequeño que soy!»

No somos muy parecidos a los gorilas en el bosque, golpeándonos el pecho durante las discusiones acaloradas, pero si miras de cerca, es posible que aún veas pistas débiles de este comportamiento más primario de todos modos. Esas posturas que ocupan espacio y se expanden están todas asociadas con el dominio, la asertividad y la autoridad. Las manos en las caderas, las manos colocadas regiamente detrás de la espalda (¿no te hace pensar en la realeza o en un soldado digno que no teme a los ataques?), o incluso los brazos entrelazados detrás del cuello mientras uno se inclina hacia atrás en una silla, todo significa comodidad y dominio.

Cuando entiendes el lenguaje corporal de las personas, pregunta en primera instancia si tus acciones, gestos y posturas se están estrechando o expandiendo. ¿La cara está abierta o cerrada? ¿Están las manos y los brazos bien abiertos y sueltos y lejos del cuerpo, o las extremidades se mantienen juntas y tensas? ¿La expresión facial que estás mirando está tensa o suelta y abierta? ¿Tiene la barbilla en alto (signo de confianza) o hacia adentro (signo de incertidumbre)?

Imagina que no tienes palabras para describir lo que estás mirando; solo observa. ¿Está el cuerpo delante de ti relajado y cómodo en el espacio, o hay algo de rigidez, tensión e inquietud en la forma en que se sujetan las extremidades?

Gran parte del arte del lenguaje corporal es, una vez señalado, bastante intuitivo. Esto se debe a que cada uno de nosotros ya domina su interpretación. Es simplemente permitirnos quitarle énfasis a lo verbal por un momento para darnos cuenta de la gran cantidad de información no verbal que siempre fluye entre las personas. Nada de eso está realmente oculto. Más bien, se trata de abrirse a los datos que ingresan en un canal al que no nos han enseñado a prestar atención.

Resumiendo

¿Cómo podemos usar todo esto para ayudarnos realmente a «leer» a las personas de manera efectiva y comprender incluso esas motivaciones, intenciones y sentimientos que la gente puede estar tratando de ocultar activamente? Vale la pena recordar de inmediato que detectar el engaño no es tan sencillo como algunos quisieran hacer creer y, como hemos visto, no es tan simple como detectar una señal reveladora que demuestre una mentira de una vez por todas. Tanto los laicos como los profesionales son notoriamente malos para leer el lenguaje corporal, a pesar de la gran cantidad de información que tenemos ahora sobre el tema.

Pero la habilidad realmente radica en decidir qué hacer con ciertas observaciones una vez que las has realizado. ¿Significa que si una persona tiene los brazos cruzados está mintiendo, infeliz por algo, temeroso ... o solo tiene frío? El truco consiste en usar no solo una o dos, sino una gran cantidad de pistas y señales para formar una imagen más completa del comportamiento. La razón por la que es tan difícil «detectar una mentira» con perfecta precisión es que los gestos y expresiones asociados con el engaño a menudo no son diferentes de los que significan estrés o incomodidad.

Entonces, dado todo esto, ¿vale la pena aprender a leer el lenguaje corporal? Por supuesto. Agregar esta dimensión adicional a tus interacciones con los demás solo enriquecerá tus relaciones y te dará una visión adicional de tus conflictos y tensiones interpersonales. Saber lo que está pasando con otra persona te permite ser un mejor comunicador y hablar sobre lo que las personas realmente sienten en lugar de lo que simplemente están diciendo.

Las señales del lenguaje corporal siempre están ahí. Todas las personas se comunican de forma no verbal, en todo momento del día. Y es posible no solo observar esta información en tiempo real sino aprender a sintetizarla e interpretarla correctamente. No es necesario que seas un experto y tampoco que seas perfecto. Solo tienes que prestar atención y sentir curiosidad por tus semejantes de una manera que quizás no hacías antes. A medida que desarrolles tus habilidades de lectura del lenguaje corporal, puede ser útil tener en cuenta algunos principios clave:

Establecer un comportamiento normal.

Uno o dos gestos en una conversación no significan mucho. Pueden ser accidentales o puramente fisiológicos. Pero cuanto más sepas cómo alguien se comporta «normalmente», más puedes asumir que cualquier comportamiento fuera de esto vale la pena analizarlo más de cerca. Si alguien siempre entrecierra los ojos, hace pucheros, mueve los pies o se aclara la garganta, puedes descartar más o menos estos gestos.

Buscar comportamientos inusuales o incongruentes.

Leer a la gente se trata de leer patrones de comportamiento. Presta especial atención a las pistas que son inusuales para esa persona. De repente, juguetear con el cabello y evitar el contacto visual podría decirte que algo pasa, especialmente si esta persona no suele hacer estas cosas. Es posible que con el tiempo llegues a reconocer los «indicios» en las personas más cercanas a ti: es posible que siempre arruguen la nariz cuando sean deshonestos o se aclaren la garganta excesivamente cuando tengan miedo y finjan no tenerlo.

Es importante que prestes mucha atención a aquellos gestos y movimientos que parezcan incongruentes. Las discrepancias entre la comunicación verbal y no verbal pueden decirte más que simplemente observar la comunicación no verbal por sí sola. Se trata de contexto. Un ejemplo obvio es alguien que se retuerce las manos, se frota las sienes y suspira en voz alta, pero que dice: «Estoy bien. No pasa nada malo». No son los gestos los que le dicen que esta persona está ocultando su angustia, sino el hecho de que no son congruentes con las palabras dichas.

Reunir muchos datos.

Como hemos visto, ciertas conductas restrictivas podrían deberse simplemente a que uno tiene frío, está cansado o incluso enfermo, y los gestos expansivos pueden no tener que ver tanto con la confianza como con sentirse físicamente caliente y querer refrescarse. Por eso es importante no interpretar nunca un gesto solo. Considera siempre varias pistas.

Si ves algo, tenlo en cuenta, pero no llegues a ninguna conclusión de inmediato. Ten en cuenta si se repite. Busca otros gestos que puedan reforzar lo que has visto o dar evidencia de la interpretación opuesta. Verifica si el comportamiento se repite con otras personas o en otros contextos. Tómate tu tiempo para analizar realmente todo lo que está frente a ti.

Buscar reflejos.

Algo importante que debemos recordar es que ciertos gestos pueden significar una cosa en un contexto o cuando se muestran a una persona, pero tienen un significado diferente en otro contexto o con otra persona. En otras palabras, ciertos gestos literalmente solo podrían aplicarse a ti mientras hablas con esta persona. Si no estás muy familiarizado con alguien, un atajo rápido de lectura y lenguaje corporal es simplemente darse cuenta de si la persona está reflejando o no tus gestos, sean los que sean.

Reflejar es un instinto humano fundamental; tendemos a igualar e imitar el comportamiento y las expresiones de aquellos que nos gustan o con los que estamos de acuerdo, mientras que no lo hacemos si no nos gusta una persona o la percibimos de forma negativa. Si estás en una reunión con un cliente nuevo, puedes notar que no importa cuán amigable sea tu voz o con qué frecuencia sonríes y haces gestos cálidos con las manos abiertas, este responde con frialdad y gestos cerrados, sin reflejar tu optimismo. Aquí, los gestos en sí mismos son irrelevantes; es el hecho de que no se comparten lo que le demuestra que la persona con la que estás tratando no es receptiva, es hostil o se siente amenazada.

Prestar atención a la energía.

Esta no es una idea esotérica: en un grupo, simplemente toma nota de dónde se concentran la intención, el esfuerzo y la atención. Observa dónde fluye la energía. A veces, el «líder» de un grupo es solo de nombre; el poder real puede estar en otra parte. Uno solo tiene que observar cuánto interés y atención hay hacia un bebé en la habitación para ver esto en acción; el bebé dice y hace muy poco, pero sin embargo llama la atención de todos los presentes. De manera similar, una familia puede tener al padre como el «líder» oficial, y él puede gesticular y hablar en voz alta para cimentar esta percepción. Pero presta atención y podrás ver que es su esposa a quien se difiere constantemente, y cada miembro de la familia puede mostrar con su lenguaje corporal que, de hecho, son las necesidades de su madre las que tienen prioridad, a pesar de lo que se afirma verbalmente.

La voz más poderosa en una habitación no es necesariamente la más fuerte. Se puede entender mucho sobre la dinámica de poder en un grupo observando para ver dónde fluye la energía. ¿Quién habla más? ¿Con *quién* habla la gente siempre y cómo? ¿Quién parece ser siempre el centro de atención?

Recuerda que el lenguaje corporal es dinámico.

Cuando hablamos, el contenido de nuestro idioma no se trata solamente de las palabras y la gramática que usamos para unirlas. Se trata de cómo hablamos. ¿Decimos mucho o poco? ¿Con qué tono de voz? ¿Las frases son largas y complicadas o cortas y concisas? ¿Está todo redactado de manera tentativa, como una pregunta, o se expresa con seguridad, como si fuera un hecho conocido? ¿Cuál es la velocidad de entrega? ¿Qué tan fuerte? ¿Está claro o murmurando?

De la misma manera que la información verbal puede variar en la forma en que se comunica, la información no verbal también puede variar. Los gestos no son cosas estáticas, fijas, sino expresiones vivas que se mueven en el tiempo y el espacio. Observa el flujo de información en tiempo real. Observa cómo las expresiones cambian y se mueven en respuesta al entorno y a quienes se encuentran en él. No sientas curiosidad por «captar» un gesto discreto, sino más bien observa el flujo de gestos a medida que cambian.

Por ejemplo, observa cómo camina una persona. Caminar es como una postura corporal pero puesta en movimiento. Los pasos lentos y arrastrados sugieren falta de confianza, mientras que los rápidos y largos sugieren optimismo y entusiasmo.

Interésate en cómo una persona responde a los demás en una conversación o en su estilo de hablar con quienes están en posiciones de poder. Una vez que comiences a buscar, te sorprenderás de la gran cantidad de información que está esperando a ser notada.

El contexto lo es todo.

Finalmente, vale la pena repetirlo: ningún gesto ocurre en el vacío. La comunicación no verbal debe considerarse en relación con todo lo demás, al igual que la comunicación verbal. Establece patrones y aprende sobre el comportamiento de una persona a lo largo del tiempo, en diferentes contextos y hacia diferentes personas. Considera la situación y el entorno: es comprensible sudar y tartamudear durante tus votos matrimoniales o una entrevista importante; hacerlo cuando se te pide que expliques por qué estás husmeando en los cajones de alguien es un poco más sospechoso.

Recuerda que todos tienen su propia personalidad única e idiosincrática. Considera en tu análisis el hecho de que las personas son introvertidas o extrovertidas, pueden favorecer las emociones o el intelecto, pueden tener una tolerancia alta o baja al riesgo y la adversidad, pueden prosperar en situaciones estresantes o hundirse en ellas, y pueden ser espontáneas y casuales o enfocarse en las metas de forma seria. Nuestros impulsos instintivos y evolutivamente programados no se pueden ocultar ni resistir, pero pueden adoptar formas ligeramente diferentes según nuestras personalidades únicas.

Es cierto que leer las expresiones faciales y el lenguaje corporal es una habilidad que requiere tiempo y paciencia para dominarla. No existen trucos rápidos y fáciles para comprender las motivaciones más profundas de las personas. Sin embargo, recuerda los principios anteriores y concéntrate en perfeccionar tus poderes de observación, y pronto desarrollarás una habilidad para ver y comprender incluso los pequeños detalles de comportamiento que se te podrían haber escapado anteriormente. Vivimos en un mundo dominado por las palabras y el lenguaje. Pero cuando te conviertes en un estudiante de la comunicación no verbal, no es exagerado decir que te abres a un mundo completamente diferente, a veces bastante extraño.

El cuerpo humano es un todo: léelo de esa forma

Todo el mundo ha escuchado una estadística espontánea que suena algo así como: «El noventa por ciento de tu comunicación es realmente no verbal». Imaginamos que la comunicación es principalmente una cuestión de lenguaje, símbolos, ruidos y sonidos, e imágenes en una página, mientras que la persona que crea el lenguaje es una entidad física separada que ocupa un espacio.

Pero en realidad, el límite entre lo verbal y lo no verbal, el medio y el mensaje, siempre es un poco difuso.

En las secciones anteriores, hemos considerado explícitamente cómo se puede «leer» a una persona incluso más allá del contenido que eligen transmitirte deliberadamente. En otras palabras, no solo estás escuchando el mensaje que están enviando, sino también *los* escuchas, como si su propio cuerpo fuera algo para leer e interpretar.

En la discusión sobre la detección de engaños o sentimientos verdaderos ocultos, asumimos que lo que está dentro de una persona se manifestará invariablemente de alguna manera en el exterior de una persona. Esto se debe a que instintivamente entendemos que los seres humanos son un *todo*, es decir, lo verbal y lo no verbal son en realidad aspectos diferentes de la misma cosa. ¿Cuál es realmente la distinción entre las palabras y los labios que las dicen? ¿El cuerpo y el gesto que hace el cuerpo?

Esto puede parecer un poco abstracto, pero resulta que ahora hay una investigación interesante que respalda la idea de que la comunicación en su conjunto puede entenderse como una expresión completa de un ser humano. En primer lugar, ¿has mantenido alguna vez una llamada telefónica con alguien y has podido saber instantáneamente si la persona con la que hablabas estaba sonriendo o no? Los gerentes de los centros de llamadas le dirán a su personal que la gente puede «escuchar sonrisas» por teléfono, pero ¿cómo crees que esto es realmente posible?

Tiene sentido cuando consideramos que una voz no es un símbolo abstracto, sino una parte real y fisiológica del cuerpo humano. El investigador del Instituto Donders de la Universidad de Radboud, Wim Pouw, publicó algunos hallazgos interesantes en la revista PNAS en 2020. Estaba interesado en el tema que todos parecemos entender instintivamente: que los gestos con las manos y las expresiones faciales pueden ayudarnos a comprender mejor lo que se está comunicando; de hecho, a veces un gesto puede ser fundamental para que comprendamos el mensaje.

En un experimento, Pouw pidió a seis personas que hicieran un ruido simple (como «aaaaa») pero que lo emparejaran con diferentes gestos de brazos y manos mientras hablaban. Luego pidió a otros treinta participantes que escucharan solo las grabaciones de los sonidos. Sorprendentemente, los participantes pudieron adivinar cuáles eran los movimientos que los acompañaban e incluso imitarlos por sí mismos. ¡Podían decir cuál era el movimiento, dónde se realizó e incluso qué tan rápido se hizo el gesto!

¿Cómo? La teoría de Pouw es que las personas son capaces de detectar inconscientemente cambios sutiles pero importantes en el tono y el volumen de la voz, así como cambios de velocidad, que acompañan a diferentes gestos. Cuando haces un gesto, todo tu cuerpo se involucra, incluida tu voz. En otras palabras, cuando escuchas una voz, estás escuchando múltiples aspectos sobre el cuerpo de esa persona.

Al hablar, el sonido vibra a través de los tejidos conectivos de su cuerpo, pero pueden surgir diferencias en la tensión muscular si hacemos gestos con otras partes de nuestro cuerpo, y podemos escuchar estos pequeños ajustes en la voz. Lo mejor de esta habilidad en particular es que no es necesario que la entrenes, solamente debes ser consciente de ella. Probablemente nunca pensaste que podrías practicar la lectura del lenguaje corporal por teléfono, pero puedes hacerlo, ¡si comprendes que la voz es simplemente una parte del cuerpo de una persona!

La voz sola es un aspecto increíblemente rico de la conducta a estudiar. Cuando escuches a alguien de otra habitación, en una grabación o por teléfono, cierra los ojos e imagina lo que está haciendo su cuerpo y lo que esa postura o gesto podría indicar. Sin duda, también se puede escuchar la edad y el sexo a través de la voz, así como deducir algo sobre la etnia o nacionalidad de una persona al escuchar su acento o vocabulario.

Escucha la velocidad, el timbre, el volumen, el tono y el grado de control utilizado. ¿Cómo está respirando la persona? ¿Cómo sus palabras y la forma en que las dice se refuerzan entre sí, o tal vez se socavan entre sí? Por ejemplo, alguien que habla por teléfono puede estar diciéndote lo emocionado que está por algo, pero su voz lenta e indolente puede sugerirte que se está encorvando y doblado sobre sí mismo, y exagerando enormemente su entusiasmo.

Pensar en términos de grupos de mensajes

Alejemos nuestra atención de las acciones físicas individuales que pueden o no significar o sugerir algo más y, en su lugar, consideremos el comportamiento humano en términos del mensaje general que comunica a los demás. Si nos sentimos hostiles y agresivos, por ejemplo, esta actitud e intención se manifestará en todas las áreas, desde nuestro lenguaje hasta nuestras acciones, nuestras expresiones faciales y nuestra voz. En vez de tratar de imaginar cómo es cada posible manifestación de agresión, podemos centrarnos en la agresión en sí y observar los grupos de comportamiento resultantes.

La agresión se muestra comprensiblemente al confrontar gestos, o aquellos que se mueven activa y enérgicamente hacia un objetivo. Los gestos invasivos y de aproximación que se acercan a otra persona pueden significar un intento de dominar, controlar o atacar. Verbalmente, esto podría parecer un insulto o una burla, físicamente parece estar demasiado cerca, o incluso exhibirse o exponerse como para demostrar una fuerza superior. La agresión se trata de gestos repentinos, impactantes y específicos. Es como si todo el cuerpo estuviera apretado en torno a una única intención.

El lenguaje corporal **asertivo**, por otro lado, es contundente pero no tan dirigido. Es una persona que se mantiene firme, es decir, que es centrada, equilibrada, suave y abierta en la expresión de un deseo sostenido con confianza. La persona agresiva puede gritar, mientras que una asertiva puede simplemente exponer algo con una especie de certeza muscular que se puede escuchar en la voz.

El lenguaje corporal **sumiso** es el complemento: busca gestos de autoprotección que hagan que la persona parezca más pequeña, con pequeños y apaciguadores gestos como sonreír en exceso, estar inmóvil, hablar en voz baja, bajar los ojos o asumir una postura vulnerable o no amenazante.

Esto es distinto a ser genuinamente abierto y receptivo. Las personas relajadas y amigables mostraran soltura, brazos y piernas abiertos y sin cruzar, expresiones faciales desprotegidas, habla fácil o incluso aflojarse o soltar piezas de ropa para mostrar informalidad.

Esto es un poco como el lenguaje corporal romántico, excepto que alguien que está sexualmente interesado también se comportará de manera que enfatice la intimidad. La atención se centrará en la sensualidad (tocar a la otra persona o sí mismo, acicalarse, acariciar, desacelerar, sonrisas cálidas) y la conexión (contacto visual prolongado, preguntas, asentimiento, reflejo). La percepción abrumadora es la de una invitación a una distancia cercana.

El lenguaje corporal engañoso es el caracterizado por una sensación de tensión. El engaño es la existencia de dos cosas en conflicto; por ejemplo, alguien cree una cosa, pero dice otra. Busca la tensión que crea tal disparidad. Busca ansiedad, lenguaje corporal cerrado y una sensación de distracción (después de todo, ¡están procesando datos adicionales que no quieren revelarte!). Busca a alguien que parezca estar esforzándose por controlarse a sí mismo, con un efecto de ansiedad.

Al observar las intenciones detrás de la comunicación general, podemos comenzar a leer el cuerpo como un todo. Esto hace que sea más fácil recopilar múltiples puntos de datos más rápidamente y encontrar patrones de comportamiento en lugar de deducir demasiado de un solo gesto o expresión. Considera todo el cuerpo humano: las extremidades, la cara, la voz, la postura, el torso, la ropa, el cabello, las manos y los dedos, todo.

¿Puedes ver un grupo de gestos defensivos cerrados? ¿Alguien está tratando de mostrar poder, fuerza y dominio? ¿O simplemente tienen confianza? ¿La persona frente a ti está tratando de demostrar que es confiable, o que tiene algo realmente valioso que venderte (el lenguaje corporal del vendedor) o que te está saludando con franqueza y respeto?

En términos muy generales, busca los siguientes patrones de *cuerpo entero*:

- Cruzar, acercarse o desconectarse: podría indicar cautela, sospecha, timidez.
- Expansión, apertura, relajación: indica amabilidad, comodidad, confianza, relajación.
- Adelante, soltura, dirigido: puede hablar de dominio, control, persuasión.
- Acicalarse, tocar, acariciar: muestra intenciones románticas.
- Golpe, brusquedad, fuerza, volumen: señal de energía o violencia, a veces miedo.
- Repetir, estar de acuerdo, reflejar: muestra respeto, amabilidad, admiración, sumisión.

En un sentido aún más amplio, considera el comportamiento y la comunicación en general como una expresión de aferrarse, aguantar, contener, no abrazar, abrazar con fuerza, etc. Si conoces a alguien que parece tener una expresión de fuerza y control (aferrarse), puedes interpretar y comprender mejor todos los puntos de datos más pequeños: la mano que se retuerce, los labios apretados y fruncidos, el ceño fruncido, la respiración superficial que parece estrangula la voz, el tono agudo, el parpadeo rápido ...

Su cuerpo te está enviando un mensaje claro y uniforme: uno de tensión. Está sucediendo algo grande que la persona trata de mantener en secreto. Más pistas del contexto podrían decirte si se trata de una admisión incómoda, una mentira o simplemente algo que les avergüenza compartir contigo.

Aportes

- Finalmente, nos metemos directamente en el meollo del asunto. ¿Cómo podemos leer y analizar a las personas solo a través de la vista y la observación? Cubrimos dos aspectos principales: las expresiones faciales y el lenguaje corporal. Es importante señalar que, aunque muchos aspectos se han probado científicamente (con orígenes fisiológicos), no podemos decir que las observaciones simples sean infalibles. Nunca puede ser definitivo porque hay demasiados factores externos para tener en cuenta. Pero podemos comprender mejor qué cosas típicas buscar y qué podemos sacar de ellas.

- Usamos dos tipos de expresiones faciales: micro y macroexpresiones. Las macroexpresiones son más grandes, más lentas y obvias. También se falsifican de forma rutinaria y se crean conscientemente. Las microexpresiones son lo opuesto a todas esas cosas: increíblemente rápidas, casi imperceptibles e inconscientes. El psicólogo Paul Ekman identificó una serie de microexpresiones para cada una de las seis emociones básicas y, en particular, también ha identificado microexpresiones para indicar nerviosismo, mentira o engaño.

- El lenguaje corporal tiene una gama mucho más amplia de posibles interpretaciones. Generalmente, un cuerpo relajado ocupa espacio, mientras que un cuerpo ansioso se contrae y quiere ocultarse y consolarse. Hay demasiados detalles para enumerarlos todos, pero ten en cuenta que la única forma verdadera de analizar el lenguaje corporal es primero saber exactamente cómo es alguien en su estado normal.

- En resumen, necesitamos leer el cuerpo como un todo y buscar grupos generales de comportamiento que funcionen juntos para comunicar un mensaje unificado. La voz puede considerarse como una parte del cuerpo y leerse como cualquier otro lenguaje corporal. Buscar señales o pistas que sean incongruentes y no encajen bien con las otras señales que están dando, podría revelar que la otra persona está tratando de ocultar algo si puedes notar otras señales que reafirmen esta conclusión. Sin embargo, como siempre, las señales que has detectado podrían no tener sentido, así que asegúrate de tener suficientes datos para respaldarlas.

Capítulo 3 Ciencia y tipología de la personalidad

Así como podemos entender cualquier tipo de comunicación, comportamiento o discurso de una persona como una expresión directa de su yo *total*, también podemos incluir en la mezcla la personalidad. Se puede pensar en la personalidad como un patrón de comportamiento persistente a largo plazo. Puedes leer un cierto gesto o tono de voz, pero ese mismo gesto o voz, cuando se repite de manera confiable y con la frecuencia suficiente, comienza a consolidarse en una persona.

De ello se deduce entonces que, si sabemos un poco sobre el patrón de comportamiento general persistente y de por vida, tendremos más contexto para ayudarnos a comprender el comportamiento específico que vemos frente a nosotros en un momento dado. En términos psicológicos, la personalidad generalmente se entiende como una combinación especial de los rasgos únicos de una persona, es decir, donde se encuentran en múltiples continuos actitudinales.

La mayoría de las teorías de la personalidad están interesadas en los ejes fundamentales en los que difieren las personas: si puedes manejar estos aspectos básicos de la personalidad humana, la idea es que obtengas una mayor comprensión del comportamiento, tal vez incluso aprendiendo a adelantarte y predecirlo.

Pon a prueba tu personalidad

Ahora, cualquier discusión sobre el análisis de la personalidad y la identidad estaría incompleta sin profundizar en los rasgos de personalidad de los Cinco Grandes, así como en el indicador de tipo Meyers-Briggs y los temperamentos Keirsey asociados. Estas son formas directas de entender quién es alguien, en la medida en que dichas pruebas puedan ser precisas.

Muy rara vez poseerás esta cantidad de conocimiento sobre alguien a quien desees leer o analizar, pero nuevamente, vale la pena comprender algunas escalas diferentes sobre las cuales evaluar a los demás. Es posible que puedas identificar algunos de estos rasgos en otros y luego comprender sus motivaciones y valores como resultado.

Lo más probable es que, en algún momento de tu vida, hayas realizado una prueba de personalidad, aptitud profesional o relación para aprender más sobre ti. En el contexto del análisis de las personas, esto no nos llevará a donde queremos. El uso de estas pruebas de personalidad casi frustra el propósito de analizar a alguien en función de las observaciones y los comportamientos, pero brindan suficiente material para pensar en exactamente qué rasgos buscar y qué diferencia a las personas.

Con suerte, te has encontrado con uno que buscaba evaluarte en función de los cinco rasgos de personalidad de los Cinco Grandes. Como se mencionó anteriormente, esta es una teoría que descompone la psique humana en cinco características generales. Estos cinco factores simples podrían determinar la pregunta muy compleja que has estado persiguiendo: ¿qué te hace a ti ser como eres y qué hace que otras personas sean como son?

Los cinco grandes

Es una teoría que se remonta al año 1949, en una investigación publicada por D.W. Fiske. Desde entonces, ha ido ganando popularidad y ha sido escrita por personas como Norman (1967), Smith (1967), Goldberg (1981) y McCrae y Costa (1987). En lugar de evaluarlo como un todo en función de tus experiencias y motivaciones, esta teoría lo reduce a cinco rasgos: apertura a la experiencia, conciencia, extroversión, amabilidad y neuroticismo.

Es posible que hayas oído hablar de estos puntos anteriormente. Términos como introvertido y extrovertido se usan mucho en estos días, pero ¿qué significan realmente? Son dos extremos del espectro. Cada rasgo tiene dos extremos, y aunque no queramos admitirlo, cada uno de nosotros encarna todos estos cinco rasgos hasta cierto punto. Según esta teoría, es cuánto de cada uno y dónde aterrizamos en el rango entre los extremos lo que determina nuestra personalidad única.

Apertura a la experiencia. El primero de los cinco grandes rasgos de personalidad determina qué tan dispuesto estás a correr riesgos o probar algo nuevo. ¿Saltarías alguna vez de un avión? ¿Qué tal hacer maletas y mudarse al otro lado del mundo para sumergirse en una nueva cultura? Si tu respuesta a ambas preguntas fue un rotundo sí, entonces probablemente obtengas una puntuación alta en tu apertura a la experiencia. Buscas lo desconocido.

En un extremo, las personas con mucha apertura son curiosas e imaginativas. Van en busca de nuevas aventuras y experiencias. Pueden aburrirse fácilmente y recurrir a su creatividad para descubrir nuevos intereses e incluso actividades atrevidas. Estas personas son flexibles y buscan variedad en su vida diaria. Para ellos, la rutina no es una opción. En el otro extremo del espectro, las personas que están por debajo de la escala de apertura prefieren la continuidad y la estabilidad al cambio. Son prácticos, sensatos y más convencionales que sus compañeros. No son amigos del cambio.

En la vida real, la mayoría de las personas se encuentran en algún lugar entre estos opuestos, pero el lugar en el que te encuentras en el espectro podría revelar mucho sobre quién eres y en qué eres excelente.

¿Sueñas con llegar a ser un gran director ejecutivo o estar a la cabeza de tu campo, por ejemplo? La apertura se ha relacionado con el liderazgo. Si puedes entretener nuevas ideas, romper con los paradigmas y adaptarte rápidamente a nuevas situaciones, es más probable que tengas éxito como líder (Lebowitz, 2016).

Fue la decisión del cofundador de Apple, Steve Jobs, de auditar una clase de caligrafía en 1973 que años más tarde conduciría a la tipografía innovadora en los ordenadores Mac. En ese momento, nadie relacionaba los ordenadores con tipos de letra bonitas, pero Jobs vio algo que nadie más pudo ver. Aprovechó la clase de caligrafía, buscó cambiar la forma en que la gente pensaba sobre los ordenadores y se abrió a una nueva visión del futuro.

Diligencia. Este es el rasgo de la personalidad que te hace cuidadoso y cauteloso. Estás atento a tus acciones y, a menudo, lo piensas dos o tres veces antes de tomar una decisión, especialmente si no estaba en tus planes originales.

Las personas que tienen altos niveles de conciencia tienden a estar extremadamente concentradas en sus objetivos. Planifican las cosas, se centran en las tareas detalladas que tienen entre manos y se ciñen a sus horarios. Tienen un mejor control sobre sus impulsos, emociones y comportamientos, de modo que pueden concentrar más energía en su éxito profesional. Si bien es posible que no vivan de una forma tan aventurera como sus compañeros, tienden a vivir más tiempo, en parte gracias a sus hábitos más saludables.

En el otro extremo del espectro, las personas que no son tan conscientes tienden a ser más impulsivas y desorganizadas. Se desmotivan por demasiada estructura, pueden posponer las cosas en un trabajo importante y tienen una capacidad más débil para controlar su comportamiento. Esto puede conducir a hábitos más autodestructivos, como fumar y abusar de sustancias, y una incapacidad general para hacer las cosas. El control de impulsos no es tarea fácil para ellos.

Entonces, ¿qué tan diligente eres? ¿Te gustan los horarios en el trabajo, pero aun así evitas hacer ejercicio cuando llegas a casa? Puedes adoptar algunos aspectos de la conciencia, como los horarios y las listas de tareas, y no otros, como hacer ejercicio o realizar otros hábitos saludables. La mayoría de la gente aterriza en algún lugar en el medio del espectro de la diligencia, pero si puede encontrar formas de planificarse y tener un poco más de orden, podrías estar preparándote para el éxito.

La conciencia se ha relacionado con un mejor éxito después de la formación (Woods, Patterson, Koczwara & Sofat, 2016), un desempeño laboral más efectivo (Barrick & Mount, 1991), una mayor satisfacción laboral y carreras con mayor prestigio y mayores ingresos (Judge, Higgins, Thoresen y Barrick, 1999). Un estudio de Soldz y Vaillant (1999) también encontró que los altos niveles de conciencia han ayudado a las personas a adaptarse mejor a los desafíos de la vida que inevitablemente se acercarán a ti sigilosamente.

La conciencia es la medicina preventiva que todos podemos usar para detener los problemas antes de que comiencen.

Extroversión. Este es el rasgo que define lo sociable o extrovertido que eres. Los extrovertidos son fáciles de detectar. Son el alma de la fiesta, tienen mucha energía y saben hablar. Los extrovertidos obtienen su energía de estar cerca de otras personas y se desarrollan siendo el centro de atención. Por esa razón, mantienen un amplio círculo de amigos y aprovechan cada oportunidad para conocer gente nueva.

En el otro extremo están las personas a las que a menudo les resulta agotador estar cerca de los extrovertidos: los introvertidos. ¿Por qué dedicar tiempo a tratar de entablar una conversación con grandes grupos de personas cuando puede estar en casa con sus propios pensamientos? Los introvertidos no son tímidos; simplemente prefieren la soledad a socializar o la calma al caos.

¿Te gustaría que las fiestas de la oficina nunca terminen o te sientes agotado después de aproximadamente una hora? ¿Te gusta conocer gente nueva o prefieres quedarte en casa con la compañía de un buen libro? ¿Eres una persona mañanera o realmente te despiertas cuando se pone el sol?

Si a menudo eres el último en salir de una reunión social, disfrutas estar rodeado de gente y prefieres la noche, es probable que ocupes un lugar destacado en la escala de extroversión. Si, por otro lado, te da pavor la idea de ir a fiestas, prefieres quedarte solo en casa y levantarse temprano para comenzar el día, probablemente seas más introvertido.

Dependiendo del día, es posible que prefieras ir en cualquier dirección. Sin embargo, en general, las personas suelen estar en algún lugar del espectro entre las dos opciones.

Amabilidad. Este es el rasgo que identifica cuán amable y comprensivo eres y qué tan cálido y cooperativo eres con los demás.

¿Tiendes a interesarte mucho por otras personas y sus problemas? Cuando ve que otros atraviesan dificultades, ¿también te afecta a ti? Si eres empático, te preocupas por los demás y te impulsa el deseo de ayudar, puedes ser una persona bastante agradable. Sientes su dolor y te ves impulsado a hacer algo al respecto.

En el otro extremo del espectro, las personas que son menos agradables pueden encontrar que se interesan menos por la vida de otras personas. En lugar de tratar de trabajar juntos para resolver un problema, es posible que prefieran hacerlo solos. No están de acuerdo porque están decididos a hacer exactamente lo que quieren hacer. Debido a su naturaleza, a menudo se les percibe como ofensivos o desagradables.

Todos tenemos diferentes umbrales de cuánto estamos dispuestos a hacer por los demás y cuánto estamos dispuestos a trabajar juntos. Ese límite es donde te clasificas en el espectro de la amabilidad.

El motivo por el que la gente es tan agradable todavía está en debate. Para algunos, es la preocupación genuina por el bienestar de los demás. Para otros, es el resultado de la presión social y las normas aceptadas. El miedo a las consecuencias puede ser un factor motivador. Algunas personas agradables pueden estar actuando de esa manera porque les petrifica la confrontación social. En cualquier caso, la investigación ha demostrado que las personas agradables rara vez son crueles, despiadadas o egoístas (Roccas, Sagiv,

Schwartz y Knafo, 2002). Si estás buscando formas de ser un poco más feliz, averiguar dónde te encuentras en el índice aceptable puede ser una buena forma de comenzar.

Neuroticismo. Todos tenemos días en los que nada es lo que parece. Crees que tus compañeros de trabajo están tratando de hacerte la vida imposible. Estás tan ansioso que no puedes dormir.

Te sientes como si estuvieras atrapado en una película de Woody Allen. Pero si tienes muchos de esos días, hasta el punto en que te sientes más deprimido que animado, es posible que tengas niveles altos del último de los cinco grandes rasgos: el neuroticismo. Este es el rasgo de personalidad que esencialmente mide qué tan estable eres emocionalmente. Identifica tu capacidad para permanecer estable y equilibrado frente a la ansiedad, la inseguridad o la distracción constante.

Los neuróticos tienden a afrontar la vida con una alta dosis de ansiedad. Se preocupan más que la mayoría y su estado de ánimo puede cambiar rápidamente y con pocas indicaciones. Este tipo de comportamiento puede hacerlos propensos a estar estresados o incluso deprimidos.

Aquellos en el lado menos neurótico del espectro tienden a ser más estables emocionalmente. Cuando el estrés se les presenta, les resulta más fácil lidiar con él. Los episodios de tristeza son pocos y espaciados, y ven menos razones para estresarse por lo que sea que se les presente.

¿Utilizas el humor para afrontar un desafío o los problemas tienden a estresarte? ¿Eres bastante sensato todo el día o cambias de calor a frío en un santiamén? Si te tomas las cosas con calma y, por lo general, solo tienes un estado de ánimo por día, probablemente seas menos neurótico que los demás. Pero si tienes muchos estados de ánimo en el espacio de un corto período de tiempo y estás ansioso la mayoría de las veces, probablemente estés en el lado más neurótico.

Sin embargo, ser neurótico no tiene por qué ser todo pesimismo. Después de todo, preocuparnos por nuestra salud es lo que nos mantiene tomando vitaminas y visitando el consultorio del médico para revisiones. En ese caso, la ansiedad de los neuróticos puede mantenerlos un paso por delante de muchas maneras.

Al final, tenemos cinco escalas que han demostrado ser elementos importantes de la personalidad para que evalúes a las personas. Supongamos que comienzas a trabajar con un nuevo socio comercial y otros te advierten con anticipación que trabajar con esta persona puede ser complicado y que suele ser bastante grosera. En la conversación, notas que es un poco frío y brusco. No parece observar las sutilezas sociales. Después de un mes de trabajar juntos, comprendes que esto es más una cuestión de su personalidad, es un patrón de comportamiento que se muestra a todas las personas, en todos los contextos.

Recuerdas esto en tu próxima reunión y sugieres una idea un tanto controvertida. Tu socio comercial inmediatamente parece un poco hostil y convencido. Cruza los brazos, frunce un poco el ceño.

Otra persona podría haber asumido que este lenguaje corporal fue un rechazo directo de tu idea, pero tú, entendiendo su *personalidad como un punto de referencia*, puedes leerlo por lo que es: negocios como siempre. Continúas afirmando tu sugerencia y no te sorprendes cuando tu compañero finalmente acepta con entusiasmo, a pesar de que inicialmente parecía bastante severo y poco comunicativo.

De esta manera, la personalidad es otro punto de datos (poderoso) para ayudarte a interpretar y dar sentido a la información con la que te enfrentas en el momento. Otra herramienta de personalidad de este tipo es el Indicador de tipo Myers-Briggs (MBTI), así como los temperamentos Keirsey posteriores.

Jung y el MBTI

El MBTI ha sido uno de los métodos más populares para que las personas se evalúen y se categoricen a sí mismos; por supuesto, esto significa que debemos entenderlo para categorizar a los *demás*. En general, la prueba se basa en cuatro dicotomías muy distintas, que puedes imaginar simplemente como rasgos, similares a los Cinco Grandes. La gente ha comparado el MBTI como algo que funciona puramente como un horóscopo moderno. Por supuesto, ninguna prueba es infalible, y esto no significa que aún no pueda brindarte información importante sobre el carácter o la identidad de una persona.

El MBTI se desarrolló alrededor de la época de la Segunda Guerra Mundial. Myers y Briggs eran dos amas de casa y observaron a muchas personas aprovechar oportunidades laborales de cualquier manera. Sin embargo, les molestaba que muchas de esas personas aceptaran trabajos que no necesariamente pertenecían a sus habilidades. Combinaron sus observaciones con el trabajo del psicólogo Carl Jung, quien creía que los arquetipos provenían de modelos de personas, comportamiento y sus personalidades. Sugirió fuertemente que estos arquetipos vinieron de forma innata debido a la influencia del comportamiento humano.

Por lo tanto, el MBTI se desarrolló con la intención de ayudar a las personas a encontrar trabajos y carreras que se adaptaran mejor a sus personalidades innatas. Como se mencionó, hay cuatro dicotomías o rasgos generales:

- Para la personalidad, el espectro es de extrovertido (E) a introvertido (I).
- Para la percepción, el espectro va desde la percepción (S) hasta la intuición (N).
- Para juzgar, el espectro es pensar (T) para sentir (F).
- Para la implementación, el espectro es juzgar (J) para percibir (P).

La idea es que todos puedan medirse a lo largo de estos cuatro espectros, y surgirán ciertos patrones para que puedas descubrir tu tipo de personalidad.

La primera dicotomía, extroversión *versus* introversión, significa tanto la fuente como la dirección de la expresión energética de una persona. Ten en cuenta que esto se define de manera ligeramente diferente al rasgo de extroversión de los Cinco Grandes.

Un extrovertido y su expresión de energía ocurren principalmente en el mundo externo. Cuando están en presencia y compañía de otros, los extrovertidos pueden recargar energías. Para un introvertido, su fuente de energía ocurre principalmente en su mundo interno. Tener espacio para sí mismo es ideal y puede resultar el mejor modo de recargar esa expresión de energía.

Las personas extrovertidas están orientadas a la acción en comparación con las personas introvertidas, que están más orientadas al pensamiento. Por ejemplo, en un aula, a los estudiantes extrovertidos les gusta participar en discusiones y presentaciones grupales. Sus interacciones con otros estudiantes proporcionan ese sentido de responsabilidad por sus tipos de personalidad. Un estudiante introvertido preferiría trabajar solo en proyectos y se sentiría algo incómodo durante las discusiones de toda la clase. Les gusta poder pensar por sí mismos y trabajar a través de evaluaciones por sí mismos también.

La segunda dicotomía, sensación *versus* intuición, representa cómo alguien percibe la información.

Cuando una persona está sintiendo, cree que la información recibida directamente de ese mundo externo. Esto puede venir en forma de usar sus cinco sentidos: vista, olfato, tacto, gusto y oído. Las decisiones se toman de formas más inmediatas y basadas en la experiencia.

Para alguien que usa la intuición, él o ella cree en la información de un mundo interno, su intuición, sobre la evidencia externa. Esto viene en forma de tener ese «presentimiento». Él o ella profundiza un poco más en los detalles e intenta conectar patrones. Puede pasar un poco más de tiempo antes de que se pueda tomar una decisión.

La detección tiene que ver con creer en información que es más concreta y tangible que la intuición, que se trata más de observar las teorías o principios subyacentes que pueden surgir de los datos. Un oficial de policía siempre usará evidencia y datos para respaldar sus afirmaciones para realizar un arresto porque esta información se puede medir. Por otro lado, un abogado mostraría más intuición porque podría haber mucho más en el contexto que se presenta, lo que lo ayuda a defender a sus clientes.

La tercera dicotomía, pensar *versus* sentir, tiene que ver con cómo una persona procesa la información. Pensar es cuando alguien toma una decisión principalmente a través del proceso de pensamiento lógico. También piensan en medios tangibles, donde buscan reglas para guiar su toma de decisiones.

Frente a esto está la sensación de que alguien preferiría tomar una decisión basada en la emoción. Para tomar decisiones, estas personas miran lo que valoran como un medio para elegir su mejor opción. Pueden considerar que los pensadores son fríos y desalmados.

El pensamiento ocurre principalmente cuando alguien expone todas las razones posibles y prácticas para tomar una decisión sensata. Básicamente, alguien va a tomar una decisión utilizando su cerebro. Sentimiento es cuando alguien tomará esa decisión desde el corazón. Las personas que compran viviendas firmarán el papeleo en función de los precios y el valor de reventa (pensamiento) *versus* los que compran para quedarse en sus antiguos vecindarios (sentimiento).

La cuarta dicotomía, juzgar *versus* percibir, es cómo alguien implementará la información que ha procesado.

Organizar eventos de la vida es cómo alguien lo juzgaría y luego lo usaría, como regla, para ceñirse al plan. A estas personas les gusta tener orden y estructura. Su sentido de autocontrol proviene de poder controlar sus entornos tanto como sea posible. Los que suelen juzgar normalmente usarán experiencias previas como catalizador para continuar o evitar ciertos comportamientos más adelante. También les gusta que las cosas se arreglen y acabar con ello.

La improvisación y la exploración de opciones es lo que haría alguien con la percepción. A estas personas les gusta tener opciones y ven la organización como un límite a su potencial. Les gusta tomar decisiones cuando son necesarias y les gusta explorar la solución de problemas y la elaboración de estrategias. Los tipos perceptivos vivirán de alguna manera el momento y comprenderán que hay multitud de opciones disponibles para ellos, independientemente de cómo hayan ocurrido otras experiencias en el pasado.

Hay un total de dieciséis combinaciones diferentes, o tipos de personalidad, que pueden surgir de las permutaciones de preferencias en las cuatro dicotomías mencionadas. Estas ayudan a representar uno de los dos polos que cada persona puede tener en términos de una dicotomía dominante. Así que esto es lo que define los dieciséis tipos de personalidad diferentes, ya que a cada uno se le puede asignar un acrónimo de cuatro letras.

Entonces, por ejemplo, las siglas en inglés ESFJ significaría extrovertido, sentir, sentir y juzgar. Estas personas pueden ser las que ves en las comedias de televisión que chismean sobre todo el mundo y cuyo principal objetivo en la vida es estar casado y tener hijos, solo para poder cotillear con otras mamás del vecindario. Por supuesto, esta es una categorización tan estereotipada que duele, pero, no obstante, observar y categorizar a alguien en base a estas cuatro simples letras puede desbloquear una comprensión más profunda de cualquier persona.

Una gran deficiencia es que el MBTI solo brinda respuestas que son definitivas y no tiene en cuenta el hecho de que las personas generalmente no son unilaterales en sus rasgos. Las personas no están completamente en un extremo del espectro u otro. El MBTI solo les da a las personas dos extremos del espectro, no algo intermedio. Por lo tanto, la mayoría de las personas pueden ser moderadas en muchos otros rasgos. Por ejemplo, podría ser un cuarenta y cinco por ciento extrovertido y un cincuenta y cinco por ciento introvertido, pero el MBTI lo llamaría introvertido sin sutilezas.

Otro defecto no reside en el MBTI en sí, sino en el hecho de que todos estamos cambiando a lo largo de nuestras vidas. El profesor David Pittenger de la Universidad Marshall descubrió que cuando se realiza una nueva prueba del MBTI en un período corto de tiempo, hasta el cincuenta por ciento de las personas se clasificarán en un tipo diferente. Con el tiempo y como se esperaba, las personas pueden cambiar. Los resultados de sus MBTI pueden cambiar en un lapso de días o semanas dependiendo de sus estados de ánimo o influencias de sus entornos externos e internos. Estos factores no dirán nada sobre sus tipos de personalidad reales.

¿Cómo podemos utilizar esta teoría de manera práctica, en nuestro día a día en los encuentros con la gente? Lamentablemente, no es nada fácil adivinar simplemente cuál sería el tipo de MBTI de alguien (¡aunque muchas personas lo hacen con total abandono!). Dado que no podemos dar a todos los que conocemos una versión escrita completa de la prueba, debemos intentar utilizar los trazos generales de la teoría para obtener una comprensión general y más *ad-hoc* de las personas en contextos naturales.

Pruébalo tú mismo: la próxima vez que conozcas a alguien nuevo, trata de determinar si es más introvertido o extrovertido (¿o está en un punto intermedio?). Ten en cuenta su lenguaje corporal, su comportamiento y todas las pistas de contexto disponibles para ti. A continuación, pregúntate si es probable que sean más intuitivos o sensibles. La persona táctil, práctica y directa puede ser más sensible que el pensador de «panorama general» que es más propenso a decir «bueno, eso es complicado» a todas las preguntas, sin importar cuán simples sean.

Para determinar si piensan o se sienten más inclinados, escucha su idioma, el contenido de su discurso y hacia dónde va su enfoque. ¿Te están involucrando en hechos, ideas, planes abstractos? ¿O están hablando de personas y relaciones? Para distinguir los tipos que juzgan de los perceptores, toma nota de la actitud general hacia la vida: ¿parecen relajados, abiertos, no comprometidos? ¿O tienes la sensación de que esta persona toma decisiones constantemente y siempre tiene un plan o está a punto de hacer uno?

Concentrarse en las personas que utilizan solo uno o dos de estos aspectos es suficiente para delimitar las personalidades potenciales. Como siempre, ten cuidado con tus prejuicios y suposiciones (por ejemplo, la persona no está en lo más mínimo orientada hacia los sentimientos, es solo un ambiente relajado y ¡está muy enamorada de ti!). Puedes probar su teoría en el momento ajustando su estilo de comunicación y observando los resultados.

Sabrás que estás hablando con una persona más pensante cuando responda mejor a una nueva idea fascinante que compartas, pero encuentra tu entrañable anécdota personal un poco aburrida, por ejemplo. Si la persona con la que estás conversando sigue queriendo llevar la discusión a una conclusión definitiva, podrías adivinar que está más cerca del lado J que del P. Una vez más, sin embargo, todo depende del contexto.

También vale la pena recordar que los diferentes entornos tienden a sacar a la luz diferentes rasgos de personalidad. Es casi seguro que tu pareja se comunicará más con una preferencia hacia los sentimientos cuando hable sobre su matrimonio que cuando esté en su lugar de trabajo, y esto no tiene nada que ver con su orientación de sentimiento/pensamiento.

Temperamentos de Keirsey

Una forma popular de entender el MBTI es a través de los cuatro temperamentos de David Keirsey. Ayudó a organizar la información que la gente recibía del MBTI para reducirla de dieciséis tipos de personalidad a cuatro temperamentos generales. Dentro de cada temperamento, Keirsey también identificó dos tipos de roles que uno podría desempeñar de manera instintiva y natural.

Temperamento uno: El guardián

Esto sucede cuando alguien se convierte en sensor y juez. Estas personas anhelan pertenecer, contribuir a su sociedad y tienen confianza en sus propias habilidades.

Los guardianes también son concretos y más organizados. Buscan seguridad y pertenencia sin dejar de preocuparse por sus responsabilidades y deberes. La logística es una de sus mayores fortalezas; son excelentes en organización, facilitación, apoyo y verificación. Sus dos roles son administradores y conservadores.

Los administradores tienden a ser las versiones proactivas y directivas de los tutores. Son más eficientes en la regulación. Los conservadores son las versiones reactivas y expresivas de los tutores y su mejor inteligencia es el apoyo.

Temperamento dos: El artesano

Esto ocurre cuando un individuo prueba como sensor y perceptor. Estas personas viven libremente y a través de una gran cantidad de eventos llenos de acción.

Los artesanos son completamente adaptables. Suelen buscar estimulación y virtuosismo. Los artesanos están muy preocupados por lograr un gran impacto y una de sus mayores fortalezas son las tácticas. Son extremadamente competentes en localizar problemas, resolución de problemas y agilidad. También tienen la capacidad de manipular herramientas, instrumentos y equipos.

Los artesanos tienen dos roles: operadores y animadores. Los operadores son la versión directiva y proactiva de los artesanos. Tienen una alta capacidad de agilidad y son los artesanos y promotores atentos de las variantes de roles. Los animadores son las versiones más informativas y reactivas de los artesanos. Tienen una gran forma de improvisar y están atentos a los detalles.

Keirsey estima que alrededor del ochenta por ciento de la población se clasifica como artesanos o guardianes.

Temperamento tres: El idealista

Esto sucede cuando alguien resulta ser intuitivo y sensible. Estas personas encuentran sentido en sus vidas mientras se ayudan a sí mismos y a los demás a ser la mejor versión de sí mismos. Valoran la singularidad y la individualidad.

Los idealistas son abstractos y pueden ser compasivos. Trabajan para buscar valor y significado a casi todo. Les preocupa su propio crecimiento personal y poder encontrar sus verdaderas identidades. Son

muy buenos en la diplomacia y tienen fortalezas para aclarar, unificar, individualizar e inspirar a los demás.
Tienen dos roles: mentores y defensores.

Los mentores son las versiones proactivas y directivas de los idealistas. Son muy buenos en el desarrollo y sus diferentes roles atentos son los de consejeros y profesores. Los defensores son los idealistas reactivos e informativos que son muy buenos mediadores.

Temperamento cuatro: Lo racional

Esto ocurre cuando alguien prueba su intuición y su capacidad de pensar. Siempre hay un impulso para incrementar el conocimiento de estas personas y son muy competentes. Suelen tener una sensación de satisfacción personal.

Los racionales son objetivos y abstractos. Buscan ser maestros en su oficio y tener autocontrol. Por lo general, se preocupan por su propio tipo de conocimiento y competencia. La estrategia es su mayor fortaleza y tienen la capacidad de investigar, diseñar, conceptualizar, teorizar y coordinar de manera lógica. Sus dos roles son coordinadores e ingenieros.

Los coordinadores son las versiones proactivas y directivas de los racionales. Son excelentes para organizar y sus roles variantes son mentes maestras y mariscales de campo. Los ingenieros son las versiones reactivas e informativas de los racionales.

Los temperamentos de Keirsey tienen la capacidad de llevar la evaluación de los rasgos de personalidad unos pasos más profundos que la del MBTI. Ayuda a evaluar los resultados de una persona en relación con otros rasgos, mientras que el MBTI se centra en cada rasgo individualmente. Pero al igual que el MBTI, ningún individuo puede tener un solo temperamento. Casi todas las personas tendrán rasgos de todos los temperamentos, por lo que sería extremadamente difícil identificar una sola categoría.

Los temperamentos en general tienen la capacidad de dar a las personas una mejor idea de cómo son y de lo que pueden hacer para cambiar su personalidad. Ser un tipo de personalidad simplemente le dice a alguien cómo es, pero los temperamentos ven más allá de esa interpretación superficial. La identificación del temperamento permite a las personas puntuarse a sí mismas y potencialmente hacer un cambio para mejor. Tienen más conciencia de sí mismos y pueden adaptarse mejor si es necesario.

Ambas pruebas tienen la capacidad de proporcionar información útil y, al menos, le brindan un punto de partida para analizar a alguien. Dependiendo de algunas observaciones iniciales provisionales, podría cambiar la forma en que te comunicas con una persona, las preguntas que hace y la forma en que habla. Esto podría ayudarlo a recopilar de forma encubierta más información, esencialmente utilizando su compromiso con alguien como un experimento continuo en el que prueba y vuelve a probar sus hipótesis sobre esa persona.

Esto no es tan frío como suena; de hecho, las personas que tienen un don natural en este tipo de lectura de personas a menudo son percibidas por los demás como más interesantes, agradables, atractivas, inteligentes y empáticas. Por ejemplo, si estuvieras hablando con alguien que sospechabas que era un idealista, puedes asegurarte de felicitarlo de una manera que sepa que agradecerías: le dirías que es amable o que está haciendo un buen trabajo en el mundo.

Si tuvieras un desacuerdo con alguien que te estaba enviando pistas sólidas de que podría ser un artesano, podrías intentar resolver el conflicto refiriéndote a los beneficios prácticos de hacerlo, en lugar de apelar a la «lógica», tratando de impulsar sus botones emocionales o apelar a una convención o autoridad.

Pasamos a la última de nuestras pruebas de personalidad en el Eneagrama, que funciona de manera similar al temperamento de Keirsey.

El Eneagrama

La prueba del Eneagrama se desarrolló en la década de 1960 como una forma de que las personas alcanzaran la autorrealización. La atención se centra principalmente en la superación personal porque obliga a las personas a enfrentar sus propias fallas de frente. Lo que lo hace único es que tiene como objetivo identificar el *cómo* y el *por qué* en lugar de *qué* hace la gente. En lugar de sumergirse en las minucias, es útil tener una visión general amplia de los diferentes tipos posibles de resultados del Eneagrama y tratar de identificarse en ellos.

Hay nueve tipos que se pueden identificar al realizar esta prueba.

Tipo uno: el reformador. Este tipo de personas suelen preocuparse por tener siempre la razón y tener un alto nivel de integridad. También pueden considerarse críticos y farisaicos. Los ejemplos incluyen sacerdotes y médicos.

Tipo dos: el ayudante. Estas personas anhelan ser amadas y apreciadas. Suelen ser muy generosos, pero también pueden considerarse manipuladores y orgullosos. Los ejemplos incluyen madres y maestros.

Tipo tres: el triunfador. A este tipo de personas les encanta ser elogiadas y aplaudidas. Son adictos al trabajo, lo que puede hacerlos narcisistas y vanidosos. Los ejemplos incluyen actores y estudiantes.

Tipo cuatro: el individualista. Por lo general, estos tipos buscarán significado en sus vidas con la necesidad de ser únicos. Ciertamente son creativos, pero también pueden ser malhumorados y temperamentales. Los ejemplos incluyen músicos y pintores.

Tipo cinco: el investigador. Estas personas se esfuerzan por ser informadas y competentes. La mayoría de las veces, son muy objetivos, pero tienden a acumularse. Un ejemplo incluye a los investigadores.

Tipo seis: el leal. Estas personas son reflexivas en su planificación y son muy leales a las personas que les importan. Cuestionan todo, y esto puede hacerlos sospechosos y paranoicos. Los ejemplos incluyen supervivientes y agentes de policía.

Tipo siete: el entusiasta. A este tipo de personas les gusta la aventura y son muy enérgicas. Sacan lo mejor de todo y esto puede obligarlos a ser imprudentes y excesivamente indulgentes. Los ejemplos incluyen a los que buscan emociones fuertes y a los actores.

Tipo ocho: el retador. Estas personas siempre deben tener el control o tener poder. Son asertivos, lo que puede parecer agresivo y extremo. Los ejemplos incluyen padres autoritarios o personas en el ejército.

Tipo nueve: el pacificador. Por último, estas personas son estables y median situaciones. Normalmente son tranquilos y lo aceptan todo. Pero este tipo de comportamiento ingenuo puede hacerlos ajenos a las cosas negativas que suceden a su alrededor. Los ejemplos incluyen *hippies* y abuelos.

Algunas personas pueden exhibir un poco de cada uno de estos tipos o ser más dominantes en algunos. Realizar el examen permite que las personas se comprendan mejor a sí mismas y por qué actúan de la manera en que lo hacen en determinadas situaciones. La prueba obliga a las personas a verse a sí mismas de una manera más profunda que potencialmente podría desbloquear formas inconscientes de pensar.

Considera estas pruebas de personalidad como una introducción teórica a la lectura y el análisis de personas, porque el proceso es el siguiente: comprender varias escalas de prueba, observar a las personas y luego ver dónde podrían encajar. Al final, es posible que obtengas información útil, pero también puedes estar tratando de catalogar a las personas en categorías incorrectas o estar equivocado en general acerca de tu percepción.

Para asegurarte de que estás utilizando estas teorías de la mejor manera posible, debes recordar que son simplemente modelos, nada más. Los modelos tienen limitaciones y siempre son simplificaciones excesivas de fenómenos complejos. Una teoría o idea de la personalidad puede ayudar a que sea más fácil explicar o comprender a la criatura compleja llamada ser humano, pero debes estar listo para continuar recopilando datos y ajustando tus percepciones a medida que avanzas.

Digamos que la persona que conociste ayer realmente te pareció un eneagrama de tipo ocho, el retador. En tu conversación en el trabajo con esa persona ayer, notaste su lenguaje corporal contundente y directo: voz firme, postura imponente, interrumpiéndote, contacto visual directo, mandíbula firme y mirada penetrante. Pero luego, cuando te encuentras hoy con esa persona, fuera del trabajo, notas que su lenguaje corporal en realidad te parece más ansioso. ¿Podría su aparente contundencia ser una máscara?

En conversaciones posteriores, cambias de modelo y comienzas a comprender que esta persona no es enérgica en absoluto, sino simplemente confiada y directa en su comunicación. Empiezas a verlo como un tipo «racional» entusiasta y enfocado cuya extroversión es alta pero la conciencia y la amabilidad relativamente bajas. Cuando comienzas a relacionarte con esa persona teniendo todo esto en mente, de repente te das cuenta de que realmente estás haciendo clic y ¡pronto se convierten en amigos muy cercanos!

Aportes

- Comenzamos nuestro viaje para analizar a las personas como un psicólogo, primero echando un vistazo a las diversas pruebas de personalidad y viendo qué podemos extraer de ellas. Resulta, bastante, aunque no se puede decir que sean medidas definitivas o categorías de personas. En su mayoría, brindan diferentes escalas y perspectivas a través de las cuales ver a las personas de manera diferente.

- Los cinco grandes rasgos de personalidad son uno de los primeros intentos de clasificar a las personas en función de rasgos específicos en lugar de en su conjunto. Puedes recordar los rasgos fácilmente con el acrónimo OCEAN (por sus iniciales en inglés): apertura a la experiencia (probar cosas nuevas), conciencia (ser cauteloso y cuidadoso), extroversión (sacar energía de los demás y situaciones sociales), amabilidad (cálido y comprensivo) y neuroticismo (ansioso y muy nervioso).

- A continuación, el MBTI, aunque útil como guía, a veces puede sufrir que las personas lo traten como un horóscopo y leer lo que desean ver sobre sí mismos. El MBTI funciona en cuatro rasgos distintos y cuánto de cada rasgo eres o no eres. Los rasgos son generalmente introvertidos/extrovertidos (su actitud general hacia los demás), intuitivos/sentimientos (cómo percibes la información), pensar/sentir (cómo procesas la información) y percibir/juzgar (cómo implementas la información). Por lo tanto, esto crea dieciséis tipos de personalidad distintos.

- El MBTI tiene algunas deficiencias, incluido el uso de estereotipos para clasificar a las personas, y la falta de coherencia cuando las personas obtienen puntuaciones diferentes según sus estados de ánimo y circunstancias actuales.

- Los temperamentos de Keirsey son una forma de organizar la misma información obtenida del MBTI. Aquí, hay cuatro temperamentos distintos, cada uno con dos tipos de roles en lugar de dieciséis tipos de personalidad. Los cuatro temperamentos son guardián, artesano, idealista y racional. Keirsey estimó que hasta el ochenta por ciento de la población caía en los dos primeros temperamentos.

- Finalmente, el Eneagrama es la prueba de personalidad final que cubrimos en este capítulo. Está compuesto por nueve tipos generales de personalidades: reformador, colaborador, triunfador, individualista, investigador, leal, entusiasta, retador y pacificador. Cada tipo está compuesto por un conjunto específico de rasgos y, de esta manera, funciona de manera más similar a los temperamentos de Keirsey.

Capítulo 4 Detección de mentiras 101 (y salvedades)

Hasta ahora en este libro, hemos pensado en todas las distintas motivaciones que obligan a las personas a actuar e interactuar con los demás, todas las formas en que sus necesidades pueden influir en su comunicación y acciones, cómo el ego juega un papel en la mezcla y todas las múltiples formas que podemos «leer entre líneas» y considerar el cuerpo en su totalidad cuando escuchamos todo lo que una persona está «diciendo».

Al hacerlo, podemos mirar más profundamente a las personas y entenderlas mejor. Pero seamos sinceros, una gran parte de este «entendimiento» no proviene solamente de una curiosidad inocente. Muchos de nosotros tenemos una necesidad (legítima) de entender mejor a las personas para poder detectar cuándo nos están manipulando, ocultando algo o mintiendo abiertamente.

Ser un buen juez de carácter y un excelente lector de personas te convierte en un gran amigo, amante, padre o colega. Pero también te protege de las intenciones que no son nobles de los demás. Ya sea para darte cuenta de las mentiras piadosas en tu vida personal, ver a través de tácticas de citas encubiertas o llegar al fondo de alguien que quiere desviarte a toda costa (gran reconocimiento a toda la industria de la publicidad), las habilidades que hemos considerado hasta ahora pueden ser una poderosa estrategia de autodefensa.

En este punto del libro, probablemente estés harto de escuchar la advertencia, pero vale la pena repetirla: no hay garantías en la lectura de las personas. Hay observaciones, teorías y mejores conjeturas, pero ninguna técnica está cien por ciento garantizada para funcionar para todos, ya que todos tenemos diferentes gestos, personalidades, antecedentes, etc.

Más bien, lo que tratamos en este capítulo es un gran punto de partida; una herramienta más para incluir en la caja de herramientas, una lente más a través de la cual ver los datos. Veremos cómo los detectores de mentiras profesionales hacen el trabajo, es decir, agentes del FBI y de la CIA, interrogadores y oficiales de policía que necesitan ser lo más precisos posible en espacios de tiempo a veces muy cortos.

El problema: Incertidumbre

Al igual que parece que todo el mundo piensa que conducen mejor que la media, la mayoría de las personas parece pensar que son buenas para detectar mentirosos, cuando es posible que no lo sean. Un estudio de 2006 en la revista *Forensic Examiner* encontró, de hecho, que las personas generalmente eran bastante malas para detectar mentirosos, y no importaba su edad, sus niveles de educación, género o confianza para detectar el engaño. De hecho, incluso los detectores de mentiras capacitados profesionalmente no eran mejores cuando se trataba de eso.

Otro artículo de 2006 en la *Personality and Social Psychology Review* dijo que la mayoría de las personas, incluso psicólogos y jueces, no eran mejores en la detección del engaño que la mera casualidad. Algunas estimaciones dicen que solo cincuenta de cada veinte mil personas son capaces de detectar a un mentiroso más de ochenta de las veces, ¡una tasa de éxito bastante deprimente! Aunque a nadie le gusta pensar que son especialmente fáciles de engañar, el hecho es que un mentiroso experimentado puede ser extremadamente convincente. Y aquí es donde comenzamos con nuestro capítulo sobre cómo convertirnos en un mejor detector de mentiras humano: con precaución.

El problema es que las cosas en las que normalmente confiamos para ayudarnos a leer a las personas (expresiones faciales, lenguaje corporal, elección de palabras) siempre pueden mostrar cierto grado de variabilidad. La suposición es que las personas que mienten se presentarán todas de la misma manera predecible, cuando esté claro que las diferencias individuales son tan amplias que hacen que estos trucos y consejos de observación sean casi inútiles. Si bien las técnicas que hemos discutido en capítulos anteriores pueden decirnos mucho sobre la personalidad de una persona sincera que no está tratando activamente de ocultar nada, cando se trata de engaño es otra historia.

Un problema aún mayor es que los mentirosos tienen acceso a la misma información que los posibles detectores de mentiras. Si alguien sabe que tocarse la cara a menudo será percibido con sospecha, simplemente puede cuidar de no hacerlo. De hecho, si se trata de una persona que está muy acostumbrada a mentir, o que de alguna manera casi se cree la historia que te está contando, es posible que no muestre ningún signo.

Entonces, ¿por qué molestarse en aprender a detectar mentiras si es algo tan difícil de acertar? Porque existen ciertas condiciones bajo las cuales la precisión de la detección de mentiras puede mejorar. Si podemos comprender estas condiciones y tenemos expectativas realistas de nuestra precisión, en realidad nos convertiremos en mejores lectores de carácter y es más probable que evitemos ser engañados.

La detección de mentiras es generalmente más precisa cuando:

- Tienes una base sólida de comportamiento con la que comparar el comportamiento actual.
- La persona que miente es espontánea, es decir, no ha tenido tiempo para ensayar su mentira o prepararse.
- La mentira tiene consecuencias reales si son atrapados; esto puede incrementar los riesgos y poner más nerviosos a los mentirosos.

Desafortunadamente, no hay una sola señal o pista que sea un indicador confiable de la deshonestidad de alguien. Una persona puede volverse repentinamente más habladora, otra puede tener un pequeño tic que nunca tendría de otra manera, otra puede volverse muy seria y distraída. Además, incluso si pudieras detectar de manera confiable el nerviosismo, no puedes vincularlo definitivamente con una mentira; la persona puede estar nerviosa porque sabe que desconfías de ella.

Podríamos cambiar las cosas y mirarlo desde el otro ángulo; en lugar de preguntarnos cómo podemos mejorar en la detección del engaño, ¿podemos entender por qué nos engañan en primer lugar? Desde este punto de vista, no se puede hacer mucho sobre la existencia de los mentirosos, pero ciertamente podemos mirarnos a nosotros mismos y preguntarnos qué aspectos de nuestras propias personalidades, creencias o comportamientos están permitiendo que la detección pase desapercibida.

Para la mayoría de las personas, mentir se entiende como un absoluto error moral. No nos gusta mentir, pero también odiamos pensar que nos ha engañado un mentiroso. Si tenemos la creencia inconsciente de que nadie realmente nos mentiría, o que podríamos detectarlo si lo hicieran, estamos preservando nuestro ego de alguna manera y asegurándonos de que el mundo es en gran parte un lugar justo.

La mayoría de las personas son buenas y honestas, y simplemente no les gusta sentarse a juzgar a los demás, prefiriendo la comodidad de brindar confianza; ¿cuántos de nosotros creemos falsamente que los demás se comportarán con los mismos escrúpulos morales que nosotros?

Si somos dueños de nuestros propios prejuicios, nuestras expectativas y nuestras propias creencias inconscientes sobre lo que otros nos dicen, tendremos más probabilidades de detectar el engaño. Es agradable imaginar que tienes un buen radar para los mentirosos y eres un «polígrafo humano» talentoso, pero nada puede obstaculizar tanto la observación y el análisis adecuados como la reconfortante creencia de que ya lo has hecho. Los métodos que usamos en capítulos anteriores para descubrir los valores y la personalidad de una persona necesitarán una mejora si esperamos usarlos para detectar una mentira.

Todo se trata de la conversación

Pregúntale a un hombre de la calle cómo detectar a un mentiroso y puede que te diga cosas como, «esquiva la mirada» o «mira hacia arriba y hacia la derecha» o «tartamudea». Incluso los profesionales debidamente capacitados pueden confiar en algunas de estas técnicas como formas infalibles de detectar las mentiras. Pero, lamentablemente, si fuera así de fácil, mentir sería mucho menos común y nadie sería engañado jamás. La verdad es que una buena detección de mentiras va mucho más allá de detectar comportamientos aislados.

Por supuesto que el lenguaje corporal importa. Pero, en cierto modo, una mentira es una construcción verbal: es una narrativa que se presenta de forma dinámica, en tiempo real y siempre en el contexto de otra persona que escucha en una conversación activa. Detectar mentiras es más que observar como un águila un tic facial por aquí o una palma sudorosa por allá. Se trata de trabajar con toda la conversación.

En la conversación, tú también estás participando. Puedes hacer preguntas, dirigir la discusión y presionar sutilmente a la persona para que *te ofrezca información*, en lugar de tener que buscarla. Replanteemos la detección de mentiras como una habilidad de conversación en lugar de un conjunto de observaciones estáticas únicas.

Tu cónyuge está actuando de manera sospechosa y le preguntas dónde ha estado durante las últimas cinco horas. Tu hijo te está contando una historia sobre cómo le dejaron un ojo morado. O un colega en el trabajo explica detalladamente por qué ha decidido abandonar su proyecto. Todas estas son conversaciones vivas y dinámicas, y no simplemente actuaciones unilaterales dadas en un estrado de testigos.

Tu capacidad para detectar una mentira se reducirá a la forma en que te relacionas con la persona que dice la mentira. Tu interacción debe ser estratégica y proactiva. Para empezar, lo primero que debes tener en cuenta es utilizar preguntas abiertas. Deja que la otra persona hable primero y, a menudo, para darte tiempo de exponer cualquier hecho o hilo posiblemente conflictivo que puedas desentrañar más tarde para demostrar una mentira.

El Dr. Ray Bull de la Universidad de Derby es un profesor de investigación criminal que ha estado estudiando el arte y la ciencia de esta técnica conversacional durante años, publicando artículos en varias revistas de psicología, comportamiento y derecho. Su principal hallazgo es que lo que importa más que nada es la relación entre el entrevistador y el entrevistado, y el proceso de detección de mentiras.

Tienes que mantener tus aportes al mínimo, al menos al principio. Si tienes alguna evidencia o información propia, quédate en silencio el mayor tiempo posible. Recuerda, el mentiroso está en una posición difícil.

Tiene que convencerte de una historia, pero, por lo general, no sabe lo que tú sabes. Con frecuencia, retener esta información es suficiente para que alguien suelte accidentalmente algo que resuelva el problema por completo.

Por ejemplo, si tu pareja te está contando una historia larga sobre cómo pasó la noche con un amigo, pregúntale algunas cosas sobre lo que hicieron juntos, lo que comieron, cómo estaba el clima en su casa, y así sucesivamente. Mira lo que dice. Al final de la conversación, puedes revelar que sabes que ese amigo está de vacaciones en este momento, pero al no revelar que lo sabes, le das al mentiroso la oportunidad de contar toda su historia planeada y revelar el fallo en su propia historia.

Estate atento a cómo se presenta la información en general. Los mentirosos suelen ofrecer un relato completo y muy detallado de una vez, pero tienen poco que ofrecer más allá de eso cuando se les hace preguntas. Después de todo, ya lo han ensayado todo en sus cabezas, pero no han ensayado las respuestas a las preguntas en las que no habían pensado. Sin embargo, las personas que dicen la verdad tienden a no decir todo a la vez, pero responderán fácilmente cuando se les pregunte más.

Puedes probar esto directamente: de repente, haz una pregunta cualquiera y no relacionada en la que la persona definitivamente no habrá pensado de antemano. Luego observa si se está esforzando para inventar algo en el acto. Los mentirosos también suelen tardar más en responder a las preguntas y se detienen más a menudo mientras narran su respuesta. Quienes dicen la verdad pueden tener dificultades para recordar algún detalle, pero se sentirán mucho más cómodos diciendo «No sé», mientras que a menudo se puede ver que un mentiroso se apresura a inventar algunas tonterías detalladas para llenar su vacío percibido en el conocimiento.

Si notas una discrepancia o incluso una mentira rotunda, no lo dejes claro. Espera un poco y observa. Puedes llegar a ver al mentiroso contando activamente una historia ante tus ojos. Cuando finalmente enfrentes a una persona así con evidencia de engaño, continúa observando su respuesta. Las personas a quienes se atrapa mintiendo pueden enfadarse o cerrarse, mientras que una persona que dice la verdad puede simplemente actuar un poco confundida y simplemente seguirá repitiendo la misma historia.

El Dr. James Drikell es el director de Florida Maxima Corporation, que investiga cuestiones relacionadas con las ciencias del comportamiento, como la detección de engaños. Tiene algunas pistas adicionales sobre cómo analizar las historias de varias personas que pueden o no colaborar en un engaño. Afirma que cuando dos personas mienten juntas, no se consultan entre sí para contar su historia y no dan más detalles sobre la narración del otro, mientras que los que dicen la verdad sí lo hacen. Si sospechas que dos personas mienten, observa cómo interactúan entre sí; las personas honestas se sentirán mucho más cómodas y proactivas a la hora de compartir la historia.

Usa el elemento sorpresa

Ponte en el lugar de un mentiroso (¡o recuerda la última vez que dijiste una mentira!). Tienes muchos pequeños detalles de los que hacer un seguimiento y tienes que parecer tranquilo y confiado mientras lo haces. Puedes imaginar que es mucho más fácil aclarar tu historia si has tenido tiempo de repasar todo en detalle primero. En otras palabras, cuanto más tiempo tengas para prepararte, más podrás calmar tus nervios y ensayar tu respuesta.

Los mentirosos espontáneos son peores mentirosos. Si puedes arreglarlo de manera que puedas preguntar/hablar con la otra persona en el momento, es posible que tengas una mejor oportunidad de descubrirlos mintiendo de manera incómoda y apresurada. Al igual que con las técnicas de conversación anteriores, no estás realmente tratando de adivinar si la historia que se te presenta es verdadera o falsa basándose únicamente en el lenguaje corporal, etc. Más bien, estás tratando de hacer que la otra persona se revele y se tropiece en su propia red de engaños.

Ya hemos visto que las preguntas sorpresa pueden coger a una persona desprevenida, ya que alejan a un mentiroso del guion ensayado. Estate atento a cualquier cambio repentino en la confianza, la velocidad del habla o el contacto visual. Un clásico es si una persona responde a una pregunta directa y simple de sí/no con una respuesta evasiva.

Esto puede indicarles que están tratando de ganar tiempo para pensar en una mentira convincente. Alguien que dice la verdad no tendría problemas para responder de manera inmediata y directa. Repetir la pregunta u ofrecer una respuesta larga y demasiado detallada es otra forma de ganar tiempo.

Por ejemplo:

«¡Oye, alguien se comió el almuerzo que tenía en la nevera! Mike, ¿te comiste mis cosas?»

«Eh, ¿qué es?».

«Ya sabes, mi almuerzo. Lo tenía aquí mismo. Incluso tenía un *Post-It...*».

«Sí, bueno, la gente en esta oficina puede ser bastante astuta ...» .

«Te lo comiste tú, ¿no?».

«¿Tu comida? ¿Me estás llamando mentiroso?»

«¿Lo hiciste, sí o no?».

«Hombre... Esto es increíble. Ni siquiera puedo *creer* que lo estás sugiriendo...».

¡Y así sucesivamente!

Una vez más, todo depende de la forma en que se presenta la historia. Cuando pillas a alguien con la guardia baja, de repente se pondrá un poco nervioso o incluso responderá con ira. Estate atento a un cambio repentino en el estado de ánimo o en el habla. Alguien podría ocultar su pánico al parecer enfadado («¿por qué hacerme una pregunta tan estúpida?» o «¿Qué? ¿No lo sabes?»).

Si sospechas que alguien está mintiendo y quieres llegar al fondo de la cuestión, sé casual y despreocupado, y hazle preguntas rápidamente y antes de que tenga tiempo de prepararse una historia. Si puede hacer esto, muchas observaciones del comportamiento o del lenguaje corporal podrían ser repentinamente más útiles: observa el nerviosismo o los intentos de esconderse, tanto física como verbalmente.

Algunas personas pueden actuar de repente un poco ofendidas, o incurrir en la protección divina («¡Lo juro por Dios!»), en lugar de responder la pregunta de manera directa y sencilla. Lo que deseas hacer es pillar a una persona en un momento de descuido y observar su reacción a las preguntas. Muy ocasionalmente, una persona puede estar tan nerviosa y avergonzada que inmediatamente confiesa en pánico.

Cómo aumentar la carga cognitiva

Decir la verdad es bastante fácil: todo lo que tienes que hacer es recordar lo que puedas y decirlo en voz alta. Decir una mentira es mucho más difícil, al menos cognitivamente hablando. No recuerdas nada, estás inventando activamente una nueva historia, una que debe tener suficiente credibilidad. Una excelente forma de hacer que los mentirosos se entreguen es poner a prueba sus cerebros ya sobrecargados hasta que cometan un error y te digan más obviamente lo que quieres saber.

El mejor enfoque es no comportarse como si estuvieras en una situación de interrogatorio formal, contigo desempeñando el papel de detective serio. Más bien, sé casual, pero mantén a la persona hablando. Escucha atentamente y aplica una presión suave a las partes de la historia que parecen un poco frágiles. Con el tiempo, la historia podría desmoronarse o podrías encontrar una evidente inconsistencia. Si presionas esta inconsistencia, puedes ser recompensado con aún más mentiras o diferencias irreconciliables.

Una técnica muy interesante es comenzar la conversación hablando directamente sobre cuán honesta se siente la otra persona. Esto hace que las personas sean más honestas más adelante, o al menos descubrirás una tensión entre el deseo de parecer sincero y el acto de mentir. Esta tensión podría empujar a una persona a confesar por su cuenta o al menos a tantear su mentira.

El investigador canadiense Jay Olson ha escrito extensamente sobre el poder de la persuasión, y resulta que las técnicas persuasivas pueden usarse con gran efecto al intentar desenmascarar los engaños. Tiene sentido: puedes intentar detectar pasivamente una mentira en otra persona, o puede *masajear* activamente la verdad de esa persona mediante preguntas inteligentes y específicas, tacto y técnicas de persuasión.

Cuando aumentas la carga cognitiva, esencialmente le está dando a la otra persona demasiado en qué pensar, por lo que su mentira se desmorona. Una técnica útil es decir algo falso y observar su respuesta. Esto no solo te dirá cuál es su comportamiento básico con respecto a las no verdades, sino que la información adicional será la gota que derramará el vaso. Haz esto varias veces, cambiando entre verdadero y falso, y le estarás pidiendo al mentiroso que haga muchos malabares en el acto, mentalmente hablando.

También puedes pedirle que te transmita una historia que ya sabes que es cierta, para que puedas comparar encubiertamente su presentación con la posible mentira. Esto es útil si no conoces bien a la persona, pero deseas obtener una referencia sobre su comportamiento normal.

Haz preguntas inesperadas que le harán abandonar temporalmente la historia ensayada. Cuando vuelva a la historia, es posible que se haya olvidado de los detalles. Toma una parte intrascendente de la historia y repítela con algo adicional que hayas agregado o un pequeño detalle incorrecto. Mira lo que hacen. Si realmente piensan que acabas de cometer un error, pueden aceptarlo y no decir nada.

Has tenido conversaciones normales y naturales toda tu vida; trata de ver si puedes detectar alguna rigidez, incomodidad o falta de naturalidad en la historia presentada. Si estás muy avanzado en la conversación y comienzan a aparecer detalles sospechosos, incluso podrías comenzar a aludir directamente a las consecuencias de que lo descubran mintiendo. Esto puede confundir y estresar a una persona, agotando sus recursos cognitivos y haciendo que sea cada vez más probable que cometa un error o diga algo verdaderamente condenatorio.

Finalmente, observa cómo se expresa la emoción durante una conversación. Joe Navarro, ex agente del FBI y experto en interrogatorios, refuerza la importancia de los grupos de comportamiento, más que las observaciones individuales. Detrás del hecho cognitivo de la mentira, hay una emoción: culpa, nerviosismo, miedo o incluso una emoción secreta por salirse con la suya (lo que los que saben lo llaman «deleite del engaño»).

Las mentiras a menudo se pueden presentar con una especie de indiferencia serena y tranquila. Es posible que veas que la persona añade cuidadosamente un poco de emoción fingida aquí y allá para que tenga efecto, pero si la conoces bien, estas expresiones pueden parecer un poco fuera de lugar de alguna manera, o la emoción parece retardada, programada de manera extraña, durar demasiado o tiene una intensidad inapropiada.

Esto se debe a que la carga cognitiva que conlleva decir una gran mentira puede interferir con la expresión genuina de la emoción. Una persona que lucha por mantenerse al día con su propia mentira mostrará muchos de los signos y pistas de los que habla Navarro: labios fruncidos, inclinar el cuerpo hacia afuera, tocarse el cuello o la cara, o ventilar, es decir, hacer cosas para refrescarse, como abrir el botón superior de una camisa o pasarse la mano por el cabello.

A medida que aumentas la carga cognitiva al hacer preguntas complejas y confusas, puedes esperar ver surgir más emociones. Sigue profundizando para obtener más detalles. Una excelente manera de observar la interacción entre la emoción y la carga cognitiva de contar una historia de ficción es preguntar directamente sobre las emociones. Muchas personas ensayan los detalles, pero no planean con anticipación cómo van a responder emocionalmente (es decir, ¡fingen!).

Por ejemplo, el agente del FBI podría preguntar cómo se sintió alguien al «descubrir» un cadáver. Esto puede llevarle un tiempo a la persona para responder (porque no construyó esta información en su mentira) o puede responder sin emoción o con una demostración muy poco convincente. El que dice la verdad será capaz de responder casi instantáneamente de una manera genuina, a menudo mostrando la misma emoción en ese momento.

Además de hacer preguntas, la sobrecarga cognitiva se puede utilizar de otra manera para revelar la mentira. Debido a la cantidad de esfuerzo cognitivo que se dedica a fabricar una historia y mantenerla, nuestro cerebro presta menos atención a otras facetas de la comunicación de detalles. Por ejemplo, si un cónyuge está tratando de mentir sobre dónde ha estado todo el día, es probable que narre su explicación de una manera desprovista de emoción. Los detalles sobre pasar tiempo con amigos que normalmente se contarían en un tono o manera alegre y divertida, al mentir, se convertirán en una serie de declaraciones objetivas. Esto ocurre porque quien miente no puede ser simultáneamente objetivo en su mentira y a la vez emocional cuando se trata de los detalles de la mentira. Como tal, trata de notar las emociones que transmite una persona junto con su historia y analiza si realmente coincide con lo que está diciendo. ¿Parece ensayada la historia? ¿Hubieras sido más expresivo que esa persona contando los mismos detalles? Preguntas como estas pueden ayudarte a analizar mejor la mentira.

La otra cara de este desapego vocal a su historia es que las señales emocionales se expresan de manera más notable en su lenguaje corporal. Es extraordinariamente difícil para cualquier persona, incluso para los mentirosos entrenados, ocultar ciertas señales no verbales cuando están mintiendo, y estas son las que tienes que detectar en grupos para concluir definitivamente que alguien está mintiendo. Algunas, como las señales faciales, se ocultan más fácilmente. Sin embargo, los estudios muestran que mentir produce excitación debido a la ansiedad y la culpa que normalmente experimentan los mentirosos (a menos que sean psicópatas). Esto hace que las personas sean más susceptibles a mostrar señales de comportamiento no verbales de lo que serían normalmente. Por ejemplo, las personas parpadean con más frecuencia cuando mienten debido a la excitación. Las alteraciones del habla, deslices involuntarios, dilatación de la pupila, son más signos de mentira. Además, la frecuencia de estos signos también está directamente relacionada con la complejidad de la mentira. Entonces, si una persona parpadea mucho más que lo normal en una persona, la escala de su mentira probablemente también sea grande.

Por lo tanto, hay dos formas de utilizar la sobrecarga cognitiva para detectar mentiras. Puedes hacer agujeros en su historia con paciencia haciendo de forma estratégica las preguntas correctas, o puedes intentar observar las señales de comportamiento específicas que acompañan a la mentira y la sobrecarga cognitiva. Mejor aún, utilízalos juntos para llegar a conclusiones más precisas.

Consejos generales para una buena detección de mentiras

- Siéntate y deja que la otra persona ofrezca información voluntariamente, en lugar de sacársela tú. No reveles lo que sabes demasiado pronto, o simplemente no lo hagas.
- Mantente relajado y tranquilo. Lo que estás observando no es la persona en sí misma, sino la persona tal como se encuentra en una situación cuasi interrogativa *contigo*. Así que no hagas que parezca una inquisición, de lo contrario, es posible que simplemente los estés viendo sentirse angustiado por la situación en sí.
- No te preocupe por señales y pistas individuales como tocarse la nariz, mirar hacia la derecha o tartamudear. Más bien, observa cómo responde la persona en general a los *cambios* en la conversación, especialmente en momentos en los que crees que puede

estar teniendo que inventar una historia sobre la marcha.

- Escucha las historias que parezcan inusualmente largas o detalladas: los mentirosos usan más palabras e incluso pueden hablar más rápido.

- Tómate tu tiempo. Puede pasar un tiempo antes de que descubras una mentira. Pero cuanto más hable la otra persona, más posibilidades tiene de equivocarse o de que su historia se enrede.

- Estate atento principalmente a las inconsistencias: detalles de la historia que no cuadran, expresiones emocionales que no encajan con la historia o cambios abruptos en la forma en que se cuenta. Ser conversador y luego, de repente, volverse callado y serio cuando haces una pregunta en particular es ciertamente revelador.

- Siempre interpreta tu conversación a la luz de lo que ya sabes, el contexto y otros detalles que hayas observado en tus interacciones con esta persona. Se trata de observar patrones y luego tratar de determinar si alguna interrupción en ese patrón apunta a algo interesante.

- ¡No tengas miedo de confiar en tu instinto! Es posible que tu mente inconsciente haya recogido algunos datos que tu mente consciente no haya percibido. No tomes decisiones basándote únicamente en la intuición, pero tampoco las descartes demasiado rápido.

Aportes

- La observación casual del lenguaje corporal, la voz y las señales verbales pueden ayudar a comprender a las personas honestas, pero necesitamos técnicas más sofisticadas para ayudarnos a detectar a los mentirosos.
- La mayoría de las personas no son tan buenas para detectar el engaño como creen. El prejuicio, las expectativas y la creencia de que no se nos puede o no se debe mentir pueden obstaculizar el hecho de darnos cuenta de que estamos siendo engañados.
- La buena detección de mentiras es un proceso dinámico que se centra en la conversación. Utiliza preguntas abiertas para que las personas entreguen información voluntariamente y

observen. Estate atento a las historias con demasiadas palabras que se presentan todas a la vez, inconsistencias en la historia o afecto emocional, retrasos o evitación para responder preguntas o incapacidad para responder preguntas inesperadas.

- Los mentirosos son más fáciles de detectar cuando la mentira es espontánea: intenta no permitir que el mentiroso tenga tiempo para preparar o ensayar un guion, o bien, haz preguntas inesperadas o planta una mentira tú mismo para observar su respuesta y obtener un punto de partida con el que comparar la posible mentira.

- El aumento de la carga cognitiva puede hacer que un mentiroso confunda su historia o pierda la pista de los detalles, revelándose a sí mismo en una mentira. Sigue buscando detalles y sospecha si los detalles no cuadran, si la emoción no coincide con el contenido o si la persona está perdiendo tiempo deliberadamente.

- Busca señales específicas de que una persona está sobrecargada cognitivamente. Un ejemplo es que el mentiroso mostrará menos emociones mientras habla de lo que él o una persona normal lo haría en su situación. En cambio, estas emociones se filtrarán en su lenguaje corporal. Más comúnmente, esto se manifiesta trabándose la lengua, parpadeando más frecuentemente, con la dilatación de la pupila y alteraciones del habla.

- Detectar a los mentirosos es notoriamente difícil, pero mejoramos nuestras posibilidades cuando nos enfocamos en conversaciones estratégicas y específicas diseñadas para hacer que el mentiroso tropiece con su propia historia, en lugar de tratar de adivinar intenciones ocultas solo con el lenguaje corporal.

Capítulo 5 Usando el poder de la observación

En este capítulo, nos basaremos en gran parte en lo que ya hemos cubierto, pero con un elemento adicional: el tiempo. Con suficiente tiempo, es posible llegar a conocer bien a alguien, ya sea que seas un buen lector de personas o no. Pero la verdad es que a veces no tenemos mucho tiempo. A veces, necesitamos hacer evaluaciones rápidas de los personajes de las personas, en cuestión de minutos o incluso segundos.

Aquí veremos formas en las que podemos evaluar a las personas, observar su comportamiento, escucharlas hablar y, efectivamente, «leerlas en frío» desde cero, con muy pocas pistas de contexto. Todo el mundo ha visto a los llamados psíquicos y médiums comunicarse con los muertos. El médium lanza una señal vaga y abierta a una audiencia más amplia y ve quién la detecta. Luego se acerca un poco más ... si la persona es mayor, hace una vaga alusión a un hijo o un cónyuge, sabiendo que la mayoría de las personas de esta edad tendrán parejas o hijos. Dependiendo de su sutil reacción a este detalle, se acerca aún más...

El espíritu de este proceso es lo que estamos tratando de ajustar, en lugar del resultado (es decir, ¡engañar a las personas para que piensen que se está comunicando con parientes fallecidos!). De hecho, existen algunos métodos científicamente respaldados para hacer juicios instantáneos bastante precisos sobre las personas, si sabemos cómo usarlos.

Cómo utilizar el «corte fino»

En psicología, cortar fino es la capacidad de encontrar patrones utilizando solamente cantidades muy pequeñas de datos, es decir, «cortes finos» del fenómeno que estás tratando de observar, en nuestro caso, una persona y su comportamiento. Un artículo de 1992 en el *Psychological Bulletin* de los psicólogos Nalini Ambady y Robert Rosenthal acuñó el término por primera vez, pero es un concepto filosófico y psicológico que ha existido por un tiempo. La idea es utilizar muy pocas pistas para llegar a predicciones precisas del comportamiento futuro.

Ciertos estudios psicológicos han demostrado que la precisión de la evaluación que las personas hacen de los demás no mejora más allá de la evaluación inicial que hacen en los primeros cinco minutos. Esto podría significar que las primeras impresiones nunca cambian o que las personas realmente pueden reunir todo lo que necesitan saber en tan solo unos momentos.

La investigación de Albrechtsen, Meissner y Susa en 2019 mostró que la «intuición»» (es decir, los juicios rápidos) era en muchos casos mejor que la casualidad para identificar sesgos o engaños en otros. Curiosamente, también se desempeñaron mejor que las personas que evaluaron la situación de manera más deliberada y consciente.

¿Puedes aprovechar esta misma capacidad para evaluar mejor a las personas que te rodean?

Un aspecto clave de los juicios rápidos es que son en gran parte inconscientes; es una de las razones por las que pueden ser tan rápidos. Malcolm Gladwell escribió el famoso libro sobre el corte fino, *Blink: El poder de pensar sin pensar*, donde exploró estas tendencias inconscientes. Por ejemplo, algunos expertos en arte pudieron detectar de inmediato que una nueva escultura no era del todo correcta de alguna manera, aunque no pudieron decir por qué. Más tarde, se determinó que la escultura era falsa.

Un ejemplo famoso es el de John Gottman, quien afirma ser capaz de decir con un noventa y cinco por ciento de precisión si una pareja seguiría junta en quince años, con solo mirarlos. Curiosamente, su precisión se redujo al noventa por ciento si pasaba más tiempo observando a la pareja, lo que sugiere que las evaluaciones más precisas se realizan desde el principio.

¿Cómo podemos usar cortes finos en nuestros propios intentos de leer y comprender mejor a quienes nos rodean? ¿Podría ser realmente que la intuición y el instinto superan nuestros esfuerzos más racionales, deliberados y conscientes de razonar a través de una decisión o juicio?

Sí y no. Nalini Ambady también descubrió que nuestro estado emocional podría afectar la precisión de estos juicios rápidos: se demostró que estar triste, por ejemplo, reduce la precisión de las personas al evaluar a otros, tal vez porque fomenta un procesamiento de información más deliberado.

Al principio del libro, nos esforzamos por examinar la predisposición y los prejuicios, y cómo estas reacciones instintivas podrían interferir con nuestra capacidad para leer a las personas correctamente. Entonces,

¿cómo se presenta la investigación anterior? Los buenos lectores de personas suelen utilizar *ambos* procesos, y son conscientes de ello, utilizando cada uno para compensar las posibles limitaciones del otro.

Por ejemplo, puedes realizar una entrevista en una nueva empresa e inmediatamente, en el primer minuto más o menos, tener un «mal presentimiento» sobre la persona que realiza la entrevista y el lugar en general. No puedes decir por qué, pero algo no se siente bien. Te ofrecen una segunda entrevista. Vas y te comprometes a mantener la mente abierta y a recopilar la mayor cantidad de datos posible, pero te abstienes de sacar conclusiones por el momento. Dado que respetas tu instinto inicial, preguntas sutilmente sobre el papel que desempeñarás. Te encuentras con un lenguaje corporal evasivo, algunos signos de engaño y mentira, y una historia que no se sostiene del todo.

Debido a esto, investigas un poco y finalmente un amigo de tu red te dice que la persona que acaban de despedir del puesto para el que estás siendo entrevistado fue despedida por denunciar acoso sexual, a manos de alguien que todavía trabaja allí y que eventualmente será tu jefe directo. Aquí, puedes ver el instinto y el pensamiento cuidadoso y deliberado utilizados juntos para llegar a una buena decisión, cada uno informando al otro.

Los jueces lo usan (a menudo llamado «sentido judicial»), los militares y los oficiales de policía lo usan, los bomberos y los socorristas lo usan, y la gente lo ha usado para encontrar parejas románticas, ya sea que estén en citas rápidas o no. La intuición es poderosa y, a menudo, precisa, pero si queremos asegurarnos de que no estamos cediendo al prejuicio de confirmación inconsciente (es decir, buscando «evidencia» para probar el juicio rápido que ya hemos hecho y descartando todo lo demás), entonces también es necesario utilizar la toma de decisiones consciente.

Cuando estés tratando con alguien nuevo, no pienses demasiado en ello desde el principio. Simplemente observa cuál es tu reacción instintiva y permite que luego te guíe suavemente hacia un análisis más profundo y consciente. Date espacio para desafiar cualquier primera impresión, pero no ignores tus respuestas instintivas, ¡incluso si no puedes explicarlo del todo!

Haciendo observaciones inteligentes

Como puedes imaginar, la calidad de las evaluaciones que realizas a partir de tu delgada porción depende en gran medida de lo que hay en esa porción. Si un día estás trotando y alguien se encuentra contigo mientras estás absorto en tus pensamientos, no sería justo que hiciera una evaluación completa basada en los pocos datos que encontró en esos pocos segundos.

Pero entonces, ¿qué datos *deberías* utilizar?

Los primeros momentos en que conoces a alguien, permite que tu cerebro haga lo que hace de forma natural: hacer juicios rápidos que caen por debajo del umbral de tu conciencia. Pero a medida que continúes, puedes recurrir a métodos de observación más deliberados. Puedes ralentizar tu procesamiento y concentrarte deliberadamente en las cosas que dicen, las palabras que usan, las imágenes que comparten. En el resto de este capítulo, veremos si cosas como los correos electrónicos y las redes sociales realmente pueden decirnos algo sobre una persona y cómo descifrar no solamente la forma en que la gente habla, sino su elección real de palabras.

Mira las palabras que usa la gente

Probablemente ya lo estés haciendo sin ser siempre consciente de ello. ¿La forma en que alguien ha escrito un mensaje de texto te ha dejado pensando? ¿Alguna vez te ha persuadido la elección de una palabra en particular o has adivinado el estado de ánimo, el nivel de educación, el género o la personalidad de alguien solo por sus firmas de correo electrónico?

Un estudio de 2006 publicado en *Social Influence* encontró que la obscenidad y las malas palabras tenían el efecto de hacer que la gente pensara que el hablante era más intenso y persuasivo, pero curiosamente no afectó su credibilidad percibida. Un estudio relacionado del *Journal of Research in Personality* ha descubierto que el lenguaje de los mensajes de texto puede decir mucho sobre una persona, por ejemplo, los pronombres más personales (yo, mío) se correlacionan con la extroversión, el neuroticismo se correlaciona con las palabras de emociones negativas y la simpatía con palabras de emoción más positiva.

La elección de palabras de las personas también puede darte una idea de su salud mental o física. Las personas que tienden a ser más neuróticas usan una fraseología mucho más evocadora cuando dicen algo negativo. Entonces, por ejemplo, si algo les molesta, no se limitarán a decir que no les gusta lo que les molesta. En su lugar, usarán un lenguaje más duro, como decir que están «hartos de» u «odian» esa cosa. Por el contrario, las personas más positivas tienden a moderar sus descripciones de las cosas y rara vez usan palabras como odio, repugnante, etc. Si notas que alguien reacciona constantemente a cosas aparentemente menores con palabras que indican angustia aguda, hay un problema más profundo involucrado.

Como vimos en el capítulo anterior sobre la detección de mentiras, las personas que mienten tienden no solo a mostrarlo en su lenguaje corporal, sino también en las palabras habladas que utilizan. Los mentirosos tienden a hablar más (el viejo «protestar demasiado») y usan más palabras sensoriales (es decir, que tienen que ver con ver, tocar, etc.) y menos pronombres personales (quizás inconscientemente distanciándose o culpando sutilmente a los demás).

En el terreno, esto puede parecer la persona que hace todo lo posible por contar una historia complicada, una clara señal de que la historia puede ser inventada. Esencialmente, la persona que dice la mentira va a recurrir de forma predeterminada a historias que son más fáciles de seguir y transmitir. Pueden evitar el uso de términos causales (por ejemplo, «X hizo esto y aquello debido a Y, y eso provocó que sucediera Z...» ya que estos son un poco más complejos de mantener en el cerebro que simplemente relacionar una serie de eventos.

Cualquier político, orador motivacional o experto en *marketing* te dirá que las palabras que usa marcan una gran diferencia. Pero lo que hacen de forma consciente e intencionada es algo que muchos de nosotros hacemos de forma inconsciente. Nuestra elección de palabras simplemente surge de nuestros valores más profundos, nuestras personalidades, nuestros prejuicios, expectativas, creencias y actitudes.

Una cosa a tener en cuenta es si una persona usa terminología compleja cuando no es explícitamente necesaria. Los estudios muestran que las personas que usan palabras atípicas en sus conversaciones cotidianas sin exagerar tienden a ser más populares y queridas porque parecen inteligentes. Sin embargo, si notas que alguien está hablando innecesariamente en jerga cuando no es necesario, esto refleja la desesperación por ser percibido como alguien inteligente y con conocimientos. Esto es útil para saber cuándo estás analizando a alguien que está en una posición de autoridad, como un político, un asesor financiero, un jefe, etc. Si abusan de la jerga, sabrás que no debes confiar en ellos o si es tu jefe, para usarlo a tu favor.

También puedes notar que una persona usa casi exclusivamente terminología militar o de caza cuando habla de citas, una admisión inconsciente de cómo ven realmente al sexo opuesto. Alguien que constantemente usa «nosotros» cuando acaba de conocerte está tratando de decirte algo, que te ve como de su lado, o al menos quiere que lo estés.

Por otra parte, una persona que habla casi exclusivamente haciendo declaraciones con «yo» está mostrando dónde se encuentra realmente su enfoque. Observa la forma en que las personas encadenan eventos, o la forma en que asignan causa y efecto. Por ejemplo, alguien podría decir «le hirieron los sentimientos» en vez de decir «herí sus sentimientos», diciéndote cómo ve esta persona su propia culpabilidad en la situación. Alguien que te diga casualmente «estoy encadenado de por vida» sin duda está comunicando un mensaje muy diferente al de alguien que te dice «estamos» esperando.

Como puedes imaginar, este es un territorio turbio, y aprender a decodificar la elección de palabras de las personas es más un arte que una ciencia. Deberás incluir estos datos en la constelación más grande que estás tratando de construir y tener en cuenta las convenciones lingüísticas locales, la edad, la clase, los impedimentos del habla, la formalidad del contexto, los niveles de educación o simplemente la excentricidad antigua.

Pero hay pautas a seguir y avenidas que explorar. Considera las siguientes preguntas durante tu próxima conversación:

- ¿La persona usa muchos pronombres o habla principalmente de otros? La analista financiera Laura Rittenhouse cree que cuantas más veces aparece la palabra «yo» en los informes anuales de los accionistas, peor es el desempeño general de una empresa.

- ¿Son las palabras muy emocionales y dramáticas o sencillas, neutrales y basadas únicamente en hechos?
- ¿Hay mucha jerga o lenguaje técnico? ¿Cuál es su función?
- ¿Utiliza la persona palabras muy rebuscadas cuando una terminología más simple funcionaría? ¿Por qué?
- ¿La persona maldice mucho? ¿Qué te dice esto sobre los otros datos que has recopilado?
- ¿Qué te dice su vocabulario sobre el modelo o marco de referencia en particular que están usando? Por ejemplo, ¿llaman a un desacuerdo un «ataque» o llaman a los empleados «colegas»?
- ¿La persona está usando palabras que sabe que tú no comprendes, o palabras que solo tú y esa persona comparten? ¿Por qué? ¿Está creando solidaridad y familiaridad o intenta excluirte en un juego de poder?
- ¿Se utilizan pronombres como tú, tu, tú mismo para culpar, dirigir la atención a otra persona o manipular?
- ¿La persona imita tu lenguaje? ¿Está repitiendo pequeñas frases o palabras que utilizas? Esto podría ser

una señal de que buscan acuerdo y armonía.

Leer a la gente como Sherlock Holmes lee la escena del crimen

Ya hemos visto que podemos leer a una persona incluso cuando solamente tenemos acceso a pequeños fragmentos de información, como su voz. De la misma manera, leer a las personas es algo que puedes hacer simplemente mirando lo que está delante de ti. ¿Puedes unir todos los puntos y realmente ver a la persona detrás de todas estas pequeñas pistas, sugerencias, señales?

¿Qué mejor «corte fino» que una fotografía, una instantánea literal de una fracción de segundo en una vida más grande y plena? Puedes saber mucho sobre una persona leyendo sus fotografías. Dacher Keltner y LeeAnne Harker de la Universidad de California en Berkley estudiaron fotografías de anuarios universitarios de docenas de mujeres, que, como puedes imaginar, sonreían todas.

Pero había dos tipos diferentes de sonrisas: una sonrisa de «Duchenne» o genuina y la llamada sonrisa de «Pan Am». La sonrisa genuina involucró que todo el rostro se levantara, con los ojos cerrados y arrugas apareciendo líneas alrededor de la boca y la nariz. La sonrisa planteada o forzada aparecía solamente en la boca y no llegó a los ojos ni afectó los músculos del resto de la cara.

Lo más interesante es que los investigadores se pusieron al día con las mujeres en las fotografías muchos años después y descubrieron que aquellas con sonrisas genuinas en sus fotografías tenían más probabilidades de estar casadas, ser generalmente más felices y gozar de mejor salud que las que tenían las sonrisas forzadas. Si cada foto que ves de alguien muestra que está forzando una sonrisa en lugar de ser genuinamente feliz, obviamente puedes concluir que la persona no es tan feliz (o es un modelo, o no le gusta nada que le hagan fotos, ¡el contexto es importante!).

Cuando un psicólogo o psiquiatra hace una entrevista inicial con un nuevo cliente, parte de su evaluación incluye la apariencia física. Puede que no parezca del todo justo juzgar a las personas por su apariencia de esta manera, pero los psicólogos en realidad están buscando cosas muy específicas en sus observaciones: ¿está la persona descuidada y mal arreglada? ¿Vestida de forma excéntrica o con poca consideración por el clima o la ocasión?

Nos guste o no, la ropa nos dice mucho sobre una persona, ya que ninguno de nosotros se viste de forma neutral. Nuestra ropa es una forma de hacer un reclamo de identidad sobre quiénes somos y cómo queremos que los demás nos vean. Es una forma poderosa de comunicar nuestra identidad sexual y de género, nuestra cultura, nuestra edad, nuestro estado socioeconómico, nuestras ocupaciones, nuestras personalidades únicas e incluso algo como nuestra creencia religiosa.

Probablemente ya estés leyendo muchas apariencias, pero trata de ser un poco más deliberado la próxima vez que conozcas a alguien nuevo de quien te gustaría saber más. La psicóloga Dra. Jennifer Baumgartner cree que incluso debería haber una «psicología de la ropa»: la forma en que la gente compra y la ropa que usa dice mucho sobre sus motivaciones, valores y autopercepción. Nos dicen dónde encajamos en el mundo, nuestro estado y el sistema de significado que atribuimos a nuestra apariencia:

- En primer lugar, olvídate de las «reglas» sobre lo que es buena ropa, ropa sexi, ropa profesional, etc. Todo es relativo. En su lugar, observa el atuendo de la persona y cómo encaja con el entorno circundante. Una persona que insiste en usar joyas finas y zapatos blancos en un sitio que está en obras, por ejemplo, está enviando un mensaje claro sobre sus prioridades y valores.
- Observa el nivel general de esfuerzo y cuidado. Puede que el estilo de alguien no sea de tu agrado, pero fíjate si se ha esforzado o no. La falta de cuidado y atención puede indicar baja autoestima o depresión.

- Busca indicadores de estatus o prestigio elegidos deliberadamente: ¿la persona está haciendo un esfuerzo por ponerse una bata blanca, un uniforme, una insignia de honor de algún tipo? ¿Qué pasa con los indicadores de riqueza o poder? Esto te informa sobre el autoconcepto de una persona y sus valores.
- Aunque los factores culturales deben tenerse en cuenta, una persona que usa ropa para llamar la atención sobre su sexualidad (especialmente en contextos inapropiados) te muestra que su atractivo sexual es una gran parte de su identidad.
- Alguien que usa predominantemente ropa de trabajo, incluso fuera del horario laboral, está comunicando que su identidad está ligada a lo que hace para ganarse la vida. Esto también podría aplicarse a los padres que se quedan en casa: ¡una madre que usa zapatos resistentes, mallas viejas y una sudadera con capucha manchada podría estar diciéndote no tan sutilmente que las necesidades de su familia son más altas que su

necesidad de expresar su individualidad!

- La vestimenta más formal suele acompañar a una mayor conciencia, mientras que usar colores más oscuros puede ser un indicador de neuroticismo. Muchos accesorios pueden indicar extroversión (¿recuerdas las decoraciones navideñas?).

Hogar y posesiones: extensiones de la personalidad

En la Provenza rural, Francia, existe una antigua tradición de plantar uno, dos o tres cipreses en la entrada de una casa, para indicar cuán dispuestos están los ocupantes a recibir invitados. Tres árboles significaban que un viajero cansado podía pasar por algo de caridad y una cama caliente, dos significaban que los residentes lo alimentarían y darían de beber con gusto, pero solo uno tenía la intención de mantener la distancia.

Comunicarse con los demás de esta manera no es solo una cosa francesa, obviamente.

Algunas investigaciones realizadas en 1989 en el *Journal of Environmental Psychology* sugirieron que los estadounidenses que usan decoraciones navideñas exteriores quieren transmitir amabilidad y un sentido de cohesión grupal a sus vecinos, y tienden a ser más sociables. Si estás visitando la casa de alguien, observa el lugar como observarías la forma en que se visten, su lenguaje corporal o su elección de palabras; después de todo, un hogar es en gran medida una extensión de nosotros como personas.

¿La casa es «abierta» y acogedora? ¿Bien cuidada o un poco descuidada? Busca signos de sociabilidad: áreas de invitados, consideraciones hechas para los visitantes. Una persona con una casa vacía y demasiado limpia puede estar contando algo sobre su neuroticismo. Alguien que exhibe una gran cantidad de decoración cara y fotografías enmarcadas en dorado de sí mismo con celebridades te está diciendo lo que ellos valoran: prestigio y riqueza.

Piensa en un hogar como el único lugar del mundo donde las personas se sienten más cómodas, seguras y ellas mismas. Un hogar, especialmente las habitaciones más íntimas y personales como el baño o el dormitorio, es un espacio que hacemos nuestro, de acuerdo con nuestras necesidades y valores.

Pregúntate, ¿qué hay en exceso en un espacio en particular? Si una persona cuelga muchas fotos con su familia o tiene una pila de libros en su habitación, puedes darte cuenta fácilmente de que son cosas que le importan. Alternativamente, la ausencia de cosas en una casa también es un gran indicador de la personalidad de alguien. ¿Los muebles son demasiado simples? ¿Se exhiben muy pocas pertenencias personales? ¿Hay demasiado espacio vacío en la casa? Es posible que la persona que estás analizando sea simplemente minimalista, pero estas también pueden ser señales problemáticas que indiquen una mala salud mental, la falta de vínculos sociales o, en general, una baja autoestima.

El hogar es también el lugar donde mostramos nuestras aspiraciones: toma nota de cómo las personas decoran, en qué gastan dinero y qué ignoran, y de dónde proviene su inspiración. ¿Qué te dicen sus decisiones sobre cómo se ven a sí mismos o cómo podrían querer ser vistos por los demás? Obviamente, una persona que solo alquila por un año puede tener menos pistas, y una casa familiar puede mostrarte la cultura familiar en general más que las personalidades individuales que la componen, ¡pero son todos datos!

En el libro de Sam Gosling *Snoop*: Lo que dicen tus cosas sobre ti, explica que incluso puedes adivinar las inclinaciones políticas de alguien a partir de la decoración de su dormitorio. Descubrió que los conservadores estadounidenses tendían a tener más elementos organizativos y decoración convencional como banderas y parafernalia deportiva. Sus habitaciones estaban mejor iluminadas y más ordenadas que las que se inclinaban más liberales, cuyas habitaciones contenían más libros y CD, materiales de arte, papelería y recuerdos culturales. Los espacios ocupados por liberales también tienden a ser más coloridos. Por lo general, si un espacio está limpio y demasiado ordenado, es probable que el ocupante sea conservador porque tiene una inclinación natural hacia la conciencia. Por otro lado, los espacios liberales gritan apertura y creatividad porque a sus ocupantes no les gusta estar encerrados en la rutina y el orden.

Naturalmente, existen marcadas diferencias regionales, y lo que se considera ordenado, bien decorado o moderno en una parte del mundo puede percibirse de manera completamente diferente en otra parte, por lo que vale la pena tener esto en cuenta. Por otro lado, ver cualquier discrepancia entre una casa y el entorno local es una fuente de información en sí misma: ¿qué implica cuando una familia quiere construir una casa que no se parece en nada a la de su vecino o adopta costumbres de un país completamente extranjero?

Según Gosling, las posesiones y los artefactos se pueden dividir en aproximadamente tres categorías:

- Aquellos objetos que reclaman identidad, elementos que muestran directamente nuestra personalidad, valor o sentido de identidad.

Adornos, carteles, premios, fotos, joyas y adornos (piensa en una cruz de oro alrededor del cuello o un tatuaje de nudo celta). Mira el espacio y pregunta, ¿quién vive aquí? ¿Qué tipo de persona posee este artículo?

- Objetos que actúan como reguladores de los sentimientos: las cosas que ayudan a las personas a manejar su propio estado emocional. Una cita inspiradora, una foto de un ser querido, artículos sentimentales. Todo esto te dice lo que la persona valora y aprecia más.

- Por último, los elementos que son **residuos de la conducta** son las cosas que quedan atrás en el curso normal de la vida. Pueden ser cosas como pilas de viejas botellas de vodka en la esquina, una red de libros sin terminar en el sofá, un proyecto de manualidades a medio terminar en la mesa del comedor. Estos te brindan una visión clara de los hábitos y comportamientos de las personas.

Leer la vida de una persona de la forma en que lees su lenguaje corporal o su voz no es difícil, solo requiere conciencia. Obsérvalo todo. ¿Qué canales de radio escuchan en el automóvil y qué pegatinas tienen en el parachoques? ¿Cuál es su nombre de usuario y su fondo de escritorio elegido? Mira carteras, zapatos, fotografías, equipo deportivo, mascotas, alimentos y bebidas consumidos y material de lectura. Estas pequeñas cosas pueden decir mucho ... si estás escuchando.

Cómo leer el comportamiento de las personas en línea

En estos días, las personas saben que no deben creer todo lo que ven en internet y que la imagen que alguien se pinta de sí mismo en las redes sociales puede tener muy poco que ver con lo que realmente les gusta. Pero ¿es posible observar las cuentas de redes sociales y el comportamiento en línea de una persona e inferir un poco sobre quiénes son realmente como personas? ¡La respuesta es sí!

En primer lugar, ni siquiera tienes que mirar las redes sociales para comenzar a tener una idea de la personalidad de alguien en línea; comienza con sus correos electrónicos. Además de la selección de palabras y el lenguaje general (que hemos cubierto anteriormente), echa un vistazo a los horarios en las que una persona generalmente te envía un correo electrónico. Es probable que uno o dos correos electrónicos a altas horas de la noche no signifiquen nada, pero si recibes correos electrónicos constantemente en las horas de la madrugada, puedes adivinar que estás tratando con un amante de la noche.

Y qué, ¿verdad? Da la casualidad de que el cronotipo de una persona, o sus propios patrones de ritmo circadiano únicos, pueden decirte algo sobre su personalidad. La investigación de Michael Breus sugiere que aquellos que son madrugadores, pero caen antes de las 10 p.m. tienen más probabilidades de ser extrovertidos, ambiciosos y de orientación social. Se ha descubierto que aquellos que son noctámbulos tienen tasas ligeramente más altas de los llamados rasgos de personalidad de la «tríada oscura»: narcisismo, maquiavelismo y psicopatía.

No significa que la persona que te envía un mensaje de texto hasta tarde un sábado por la noche sea un psicópata; más bien, si tienes alguna evidencia de un patrón de noctámbulo, es posible que sea más introvertido, ansioso y creativo. Se dice que aquellos que tienen diferentes horarios de sueño tienen un cronotipo diferente; estas personas de sueño ligero pueden estresarse fácilmente y tienden a ser más ansiosas y concienzudas que otros tipos.

Pero volviendo a las redes sociales, con cientos de millones de personas que utilizan sitios como Facebook e Instagram, sería una pena ignorar este aspecto del comportamiento humano. Si te preguntas si puedes confiar en lo que una persona comparte en las redes sociales para discernir algo genuino sobre ellos, entonces te interesará un estudio de 2010 realizado por Beck y sus colegas sobre los estudiantes y su comportamiento en las redes sociales.

Los investigadores dieron a 236 estudiantes una prueba de personalidad para evaluar sus rasgos de personalidad de los «5 grandes» y otra prueba diseñada para medir cuál era su personalidad idealizada, es decir, una imagen del tipo de persona que desearían ser. La última pieza del rompecabezas fue pedirles a extraños que echaran un vistazo a los perfiles de los estudiantes en las redes sociales y realizaran algunas evaluaciones sobre sus personalidades.

El resultado quizás sorprendente fue que las personas eran más propensas a mostrar su yo real, y no idealizado, en las redes sociales. En otras palabras, las personas eran en su mayoría honestas y directas sobre quiénes eran en las redes sociales. Sin embargo, los hallazgos del estudio deben interpretarse con precaución: las evaluaciones que hicieron las personas fueron solo en los trazos más amplios. Algunos rasgos de personalidad son más difíciles de detectar en las redes sociales. Por ejemplo, el neuroticismo puede ser difícil de ver, pero la escrupulosidad y la extroversión son más obvias.

Entonces, ¿las redes sociales pueden decirte cosas sobre una persona? En gran parte, sí. Al igual que con cualquier otra información que podamos analizar para tratar de comprender a las personas, debemos tener en cuenta que es solo una pequeña porción de datos (una delgada porción) y que los patrones son más importantes que los eventos aislados. A veces, las palabras pueden nublar fácilmente el juicio porque generalmente están teñidas de emociones más positivas o negativas en línea. Sin embargo, el tipo de imágenes que publica una persona, especialmente su foto de perfil, puede ayudarte a ubicarlas con cierta precisión en la escala de los 5 grandes. Los estudios muestran que una persona que tiene un alto nivel de apertura o neuroticismo generalmente tendrá imágenes que los incluyan solo con una expresión facial que sea neutral en lugar de positiva. Las personas con mucha conciencia, amabilidad y extroversión son más propensas a tener imágenes con sonrisas y emociones positivas. Las dos últimas categorías también suelen tener fotos más coloridas y emocionalmente ruidosas que los otros grupos.

También vale la pena recordar que conocer el carácter idealizado de una persona en realidad te dice mucho sobre su carácter actual. De la misma manera que una casa llena de curiosidades de viajes y mapas en las paredes te dice que la persona valora mucho viajar, las redes sociales llenas de instantáneas de viajes son solo una forma más deliberada de comunicarse con los demás, «me gustaría que me vieras como un viajero».

Leer a las personas en el lugar de trabajo

Es el temor secreto de cualquier entrevistado: que tal vez el éxito de la entrevista se reduzca a esos pocos segundos cruciales durante el saludo inicial y el apretón de manos, y nada más. Hemos visto que las primeras impresiones ciertamente tienen una gran importancia en nuestras evaluaciones de las personas, y todos los consejos anteriores parecen ser ciertos. Por ejemplo, el apretón de manos de alguien puede decirte mucho sobre esa persona.

Un artículo de 2011 en la revista *Social influence* intentó averiguar si los apretones de manos podrían ayudar a las personas a juzgar mejor a los demás. Pidieron a los participantes que calificaran la personalidad de cinco personas después de conocerlos, con la mitad de los participantes dando un apretón de manos y la otra mitad sin apretón de manos. Resulta que el grupo que se dio la mano fue más preciso al evaluar la conciencia en otras personas que aquellos que no se la dieron. ¡Todos esos empresarios que insisten en las reuniones cara a cara pueden haber estado en algo todo el tiempo!

Si estás tratando de leer a alguien y tener la oportunidad de estrecharle la mano, presta atención a esos pocos momentos vitales: un apretón de manos flojito puede significar algunas cosas, como baja autoestima, desinterés, o no compromiso. Las palmas sudorosas pueden significar ansiedad, aunque no siempre; algunas personas pueden tener las palmas naturalmente sudorosas, así que busca signos que lo corroboren.

Fíjate quién inicia el apretón. Aquellos que se acercan y aprietan demasiado están tratando de controlar la situación, tal vez incluso de dominar la reunión de alguna manera. Cuando una persona intenta inclinar su mano de modo que su palma esté más hacia el suelo, simbólicamente está tratando de «ponerse encima» y dominar la situación, o controlarte.

Al igual que con los abrazos, fíjate quién se rompe primero con el apretón; retroceder inmediatamente es un signo de desgana o vacilación, mientras que demorarse y sacudirse más de lo que es cómodo puede significar que alguien está tratando de persuadirte o tranquilizarte. Si alguien te ofrece una mano delicada y flácida para que la estreches, casi como una reina ofrecería su mano para que la besen, bueno, ¡esto habla por sí solo!

Un apretón de manos con dos manos (una segunda mano colocada sobre el apretón de manos) se usa para demostrar sinceridad, pero en realidad es más probable que lo utilicen políticos o diplomáticos que intentan parecer sinceros; el efecto puede ser un poco condescendiente.

Generalmente, cuanto más abierto, cálido y cómodo es el apretón, más extrovertida y agradable es la persona. La extroversión es el rasgo que se detecta más fácilmente mediante apretones de manos. Incluso si alguien tiene un apretón de manos que no se siente bien, sin embargo, busca otras pistas de la situación antes de sacar conclusiones.

Curiosamente, si estás tratando de evaluar la personalidad de un colega o posible empleado, el consejo es ignorar su currículum y mirar las redes sociales. Puede que no parezca justo que las personas emitan juicios rápidos sobre las cuentas de redes sociales de los demás, pero hay alguna evidencia que sugiere que en realidad puede ser un método preciso, no solo para evaluar la personalidad, sino también para ver cómo alguien podría desempeñarse en el trabajo.

El investigador Don Kluemper pidió a las personas que calificaran las personalidades de las cuentas de redes sociales de extraños. Luego examinó a los titulares de cuentas de redes sociales y su desempeño laboral en general, y encontró que aquellos que eran percibidos como más concienzudos, agradables e intelectualmente curiosos, en realidad lo hacían mejor en sus trabajos. Ya vimos en un estudio anterior que el autorretrato de las personas en las redes sociales es en realidad bastante honesto; lo que este estudio nos dice es que los rasgos que comunicamos a los demás influyen en todo, incluido nuestro desempeño profesional.

En caso de que te estés preguntando si una foto de fiesta súper informal de alguien en el club va en su contra, el hallazgo general es que ... bueno, el contexto es importante. Los perfiles se calificaron favorablemente cuando mostraban que las personas tenían intereses amplios, experiencia en viajes, muchos amigos y pasatiempos interesantes, por lo que un estudiante con algunas «fotos de fiesta»» mezcladas con todo lo demás podría ser visto como una persona auténtica y completa.

En cualquier caso, estos estudios nos dicen algo importante: que algunas de las fuentes más prometedoras de información valiosa sobre las personas con las que trabajamos no se encuentran donde normalmente esperarías encontrarlas.

La observación puede ser activa: Cómo utilizar las preguntas

El famoso filósofo griego Aristóteles dijo una vez: «Conocerse a sí mismo es el principio de toda sabiduría», y el padre fundador de los Estados Unidos de América, Benjamin Franklin, parecía defender pensamientos similares: «Hay tres cosas extremadamente duras: el acero, los diamantes y el conocerse a uno mismo». Uno dice que la autoconciencia es la raíz de la sabiduría, mientras que el otro dice que la autoconciencia es un estado difícil de alcanzar.

Por supuesto, este libro no trata necesariamente de la autoconciencia, pero sabemos que el proceso de adquirir autoconciencia es similar a llegar a leer y analizar mejor a las personas. También es igual de difícil.

Esta sección se centra en lo que podemos descubrir sobre los demás al hacerles preguntas *indirectas* directamente. A partir de ahí, podemos aprender mucho sobre las personas en función de sus respuestas. De muchas maneras, refleja lo que podemos entender sobre nosotros mismos a través del mismo proceso.

¿Cómo suele la gente adquirir conciencia de sí misma? El enfoque se centra en personas que se hacen preguntas simples y directas que, con suerte, apuntan a descubrimientos que están fuera de nuestro conocimiento consciente. Por lo general, se volverán a hacer preguntas como «¿Qué me hace feliz y realizado?» Estas preguntas directas deben considerarse un punto de partida mediocre, porque estas preguntas te obligan a divagar y crear una respuesta de la nada. A menudo, no conduce a mucha información más que a banalidades. Puedes mentir o incluso interpretar la pregunta de manera inútil.

En serio, intenta responder la pregunta anterior de una manera que realmente te dé algún significado y sentido. ¿Qué pasaría si te preguntaran algo como: «¿Qué partes de la semana esperas con más ganas?» o «¿Qué harías si ganaras la lotería y pudieras elegir cómo gastar tu tiempo?» o «¿Cuál es tu tipo favorito de vacaciones a largo plazo?». Estas preguntas obtienen respuestas concretas, partes específicas de ti o de otras personas, con las que puedes trabajar y buscar profundizar. Realmente, estamos preguntando sobre los comportamientos de las personas, que proporcionan la mejor base para comprender a las personas. Los pensamientos y las intenciones son importantes, pero en última instancia, si nunca se traducen en acciones, son inútiles para nuestros propósitos.

Y realmente, esta es la introducción a cómo analizar fragmentos de información de personas que son ambiguas y no definitivas por naturaleza.
Preguntas indirectas; información directa

Por tanto, este capítulo ofrece una forma novedosa de analizar a las personas. A través de un cuestionamiento inocente, podemos descubrir una gran cantidad de información que representa una cosmovisión completa o un conjunto de valores. Por ejemplo, ¿qué pasaría si le preguntaras a alguien dónde obtuvo sus noticias y qué canal de televisión, qué conjunto de publicaciones, qué revistas y qué expertos o presentadores prefiere? Es una excelente ilustración de una pregunta indirecta que te permite comprender bastante cómo piensa. Implica un poco de extrapolación y conjeturas, pero al menos hay una información concreta para continuar y muchas asociaciones concretas con ella.

Comenzamos este capítulo con algunas de estas preguntas indirectas antes de profundizar aún más pidiendo historias a las personas y viendo qué podemos extraer de ellas. Estas preguntas están formuladas para desafiar e inspirar una reflexión profunda. Les piden a las personas que se sumerjan más profundamente para que podamos comenzar a comprender sus patrones de comportamiento y pensamiento.

1. ¿Por qué tipo de premio trabajarías más duro y qué castigo intentarías evitar a toda costa?

La respuesta a esta pregunta podría ayudar a identificar el verdadero motivo detrás del impulso de un individuo. Más allá de las cosas superficiales, ¿qué es lo que realmente motiva a las personas? ¿Qué es lo que realmente les importa? ¿Y qué tipo de dolor o placer les importa? A nivel instintivo, ¿qué es lo que realmente importa tanto de forma positiva como negativa? En cierto modo, esta respuesta también refleja valores.

Por ejemplo, todos los jugadores quieren un premio: el premio mayor. Lo intentan una y otra vez, ya sea con rascadores o máquinas tragamonedas para intentar ganar el gran premio en efectivo. ¿Están motivados por recuperar sus pérdidas? ¿Tienen la esperanza de volverse más ricos de lo que pueden imaginar? ¿De verdad lo quieren o están llenando un vacío y distrayéndose?

¿Por qué están trabajando tan duro? Puedes suponer que su motivación es la emoción y el riesgo involucrado. ¿Les importa ganar un salario fijo o encontrar su propósito? Quizás sí y quizás no. Cuando puedes investigar qué es lo que más quiere alguien y por qué, a menudo puedes encontrar lo que lo impulsa sin tener que preguntarlo directamente. La forma en que las personas responden a esta pregunta te dirá claramente cuáles son sus prioridades y lo que consideran dolor y placer en sus vidas.

Busca la emoción detrás de las respuestas de las personas y podrás leer bastante bien sus valores. El objetivo de ascender al nivel de director general no solo existe en el vacío: ¿cuáles son los sentimientos, las emociones y las expectativas cumplidas que surgen de quererlo? Del mismo modo, querer evitar ser pobre habla de deseos muy específicos de seguridad y protección contra el peligro.

2. ¿Dónde quieres gastar el dinero y dónde aceptas escatimar o pasar por completo?

Esta respuesta revela lo que es importante para la vida de alguien y lo que quiere experimentar o evitar. No se trata realmente del artículo o los artículos que se van a comprar; llega un punto en el que las pertenencias materiales ya no tienen un uso, y se trata de lo que esos artículos representan y proporcionan. Por ejemplo, a veces, gastar dinero en experiencias en lugar de en un nuevo bolso tiene el potencial de mejorar el bienestar general y la perspectiva de la vida de una persona. Nuevamente, busca las emociones y motivaciones subyacentes detrás de la respuesta.

Entonces, ¿en qué no tienes problemas para derrochar y qué no te importa? Por ejemplo, al decidir los gastos de las vacaciones, las personas pueden optar por derrochar en una épica excursión en barco y quedarse en un hotel en mal estado. Esto revela su deseo de vivir un momento inolvidable en lugar de quedarse en un hotel agradable con baños dorados, que ven como una pérdida de dinero. Otros pueden optar por lo contrario y deleitarse con las comodidades sin ver gran parte del paisaje. En cualquier caso, han utilizado su dinero para identificar y gastar literalmente en sus prioridades y valores.

Adónde va tu dinero es una parte importante de lo que te hace feliz, por lo que si puedes prestar atención a dónde lo dejas fluir y dónde lo cortas, sabrás inmediatamente lo que te suele importar. Compara esta pregunta como si le preguntara a alguien: «¿Qué valoras en tu vida diaria?». Nuevamente, aquí hay una respuesta concreta para analizar.

Este mismo principio se aplica igualmente al tiempo, el dinero y el esfuerzo. Donde estas cosas fluyen, ya sea consciente o inconscientemente, representa los valores que posee la gente.

3. ¿Cuál es tu logro más importante y significativo a nivel personal y también tu decepción o fracaso más significativo?

Es común que las experiencias, sean buenas o malas, moldeen a las personas para que se conviertan en quienes son. Los logros y los fracasos se relacionan con la forma en que alguien se ve a uno mismo. Las experiencias significativas también tienden a crear sus propias identidades: *tú eres este tipo de persona porque has hecho esto y tuviste éxito o fracasaste.* No podemos escapar al hecho de que los sucesos pasados a menudo influirán en nuestras acciones actuales y futuras. No tienen por qué hacerlo, pero este no es un libro sobre cómo cambiar tu forma de pensar. El punto es que los grandes eventos repercutirán a lo largo de toda nuestra vida.

Entonces, esta pregunta obtendrá una respuesta sobre cómo las personas se ven a sí mismas, para bien o para mal. El fracaso provocará dolorosamente los defectos percibidos que odian de sí mismos, mientras que los logros sacarán a relucir las fortalezas de las que están orgullosos.

Una mujer de carrera que se ha abierto camino en la escala corporativa podría reflexionar con orgullo sobre su logro. ¿Por qué considera que este es su mayor logro? Porque valora la independencia, la resistencia y la determinación, y eso es exactamente lo que se necesita para llegar a la cima de su carrera. Ella recuerda las cosas que hizo para conseguir esa oficina de la esquina, y se siente positiva por ellas.

Por lo tanto, la respuesta sobre los logros de su carrera es en realidad una historia sobre los rasgos positivos que utilizó para llegar a ese punto: su propia identidad. Puedes imaginar que el mismo tipo negativo de identidad personal podría desarrollarse si la misma mujer hablara de sus fracasos y terminara en un trabajo que despreciaba. Esas son precisamente las cosas que más odia.

La forma en que las personas responden a esta pregunta muestra quiénes quieren ser, y esto se refleja exactamente en cómo se han cumplido o no sus expectativas.

4. ¿Qué no tiene esfuerzo y es siempre agotador?

Esta es una pregunta diseñada para comprender mejor lo que realmente disfruta la gente. Algo que no requiere esfuerzo no siempre es un talento innato, sino más bien una indicación de que lo disfrutan. Por otro lado, algo que siempre resulta agotador no siempre se trata de la falta de competencia de las personas, sino más bien del disgusto por la actividad real. Por lo tanto, las respuestas a esta pregunta pueden indicar dónde las personas encuentran la alegría y el disfrute naturales, incluso si ellos mismos no se dan cuenta.

Por ejemplo, cuando un panadero responde a esta pregunta, puede reconocer su capacidad bastante mediocre de creatividad para mezclar ingredientes para hacer un postre. Aunque está por encima del promedio, no tiene talento natural en eso, y ha sido muy difícil desde que tiene uso de razón. Ella no tenía un talento innato con la creatividad culinaria y, sin embargo, encuentra alegría en ella de tal manera que siempre se siente impulsada a ello. Es desafiante, pero sin esfuerzo de una manera de la que no se cansa.

Por otro lado, es posible que tenga un talento natural para comprender y seguir las recetas tradicionales, pero no es algo que valore o que le importe en particular. Si tuviéramos que mirar solo sus talentos innatos, concluiríamos que ella debería limitarse a ejecutar solo los platos de los demás. Pero simplemente no es lo que ella valora. Como se mencionó anteriormente, dondequiera que vayan nuestro tiempo, esfuerzo, energía y dinero, esos son nuestros valores.

5. Si pudieras diseñar un personaje en un juego, ¿qué rasgos enfatizarías y cuáles ignorarías?

Esta pregunta indaga sobre lo que las personas ven como su yo ideal y también sobre lo que sienten que es menos importante en el mundo. Imagina que tienes un número limitado de puntos para darle a una persona, pero seis rasgos para repartir los puntos. ¿Qué elegirás para enfatizar y reforzar, y cuál elegirás dejar como promedio o incluso ausente?

Supón que tienes la capacidad de elegir entre los rasgos de carisma, inteligencia académica, sentido del humor, honestidad, resiliencia y conciencia emocional. Los rasgos en los que elegirías poner la máxima cantidad de puntos son cómo te gustaría que los demás te vieran. Puede representar su composición actual de rasgos, o puede ser completamente opuesto a lo que es actualmente. En cualquier caso, es más que probable que esto represente cómo te ves a ti mismo o cómo te gustaría verte. ¿Y los otros rasgos? Bueno, simplemente importan menos. A su vez, buscan personas con los rasgos que les gustan y están menos dispuestos a buscar a los que tienen los otros rasgos. Probablemente haya historias detrás de cada uno de los rasgos que las personas también podrían elegir.

Una pregunta relacionada para hacer a los demás es: «¿Qué rasgos son comunes en otras personas?» Esta pregunta proviene de un estudio psicológico de 2010 realizado por Dustin Wood, en el que descubrió que las personas tendían a describir a otros con rasgos similares a ellos mismos. Es de suponer que esto se debe a que las personas tienden a ver sus propias cualidades en los demás. Nadie cree que su composición mental de rasgos sea poco común y, por lo tanto, creen que todos tienen una perspectiva y una forma de pensar similares a las de ellos. Las respuestas a esta pregunta son una visión directa de los rasgos que las personas creen que tienen, para bien o para mal. A partir de ahí, sabes qué tipo de acercamiento tienen al mundo: amables, generosos, desconfiados, traviesos o incluso malhumorados.

6. ¿A qué organización benéfica donarías millones si tuvieras que hacerlo?

Responder a esta pregunta obliga a uno a responder lo que le importa en el mundo en general y no solo en su propia vida.

¿Donarías a un refugio de animales o una organización benéfica para el cáncer? ¿Quizás apadrinarías a un niño de un país del tercer mundo? Todos dicen cosas muy distintas. Es posible que hayas tenido una experiencia de primera o segunda mano con cualquiera de estas causas. Cualquiera que sea el caso, muestra lo que importa cuando las personas comienzan a pensar fuera de sí mismas. Puedes ver todo un sector del mundo que les preocupa, y esto te permite ver cómo ven su lugar en el mundo. En otras palabras, ¿por qué intereses tienden a priorizar o sentirse motivados? Como siempre, observa la emoción subyacente.

Ser capaz de hacer estas preguntas evoca una conexión más profunda con los valores, las ideas y la conciencia de las personas. El propósito de preguntar eso es, nuevamente, examinar el comportamiento. Estas preguntas guían a una persona a pensar en los aspectos más relevantes de su carácter. También hacen que la gente piense más allá de las declaraciones predecibles y estimulan orgánicamente pensamientos más significativos. Mira más allá de las respuestas y lee entre líneas. Aquí, el pensamiento crítico, la evaluación y la reflexión son las habilidades clave en juego.

A continuación, profundizamos pidiendo a las personas historias que construyan, en lugar de solamente una respuesta relativamente corta, para ver qué podemos obtener al escuchar su diálogo interno en pleno efecto.

7. ¿Qué animal te describe mejor?

Lo bueno de esta pregunta es que se trata de una consulta muy personal oculta a plena vista. Las personas se sienten mucho más cómodas hablando de ciertos rasgos que admiran en los demás que hablando directamente de sí mismas. También puede encontrar que hacer esta pregunta hace que las personas se sientan muy dispuestas a compartir información reveladora que, de otro modo, se habrían sentido demasiado incómodos para revelar.

Algo sobre la distancia que se crea cuando se habla de un animal puede generar respuestas muy directas y honestas. Las personas pueden decirte inadvertidamente quiénes desearían ser cuando hablan de su animal favorito. Escucha con atención a la persona que dice que ama a los perros, pero no le gustan los gatos. Pregúntale por qué y su respuesta te dirá claramente sobre los rasgos que valoran en los demás, en sí mismos y cómo desean ser.

La mejor manera de plantear esta pregunta es de la manera más informal posible. No hagas que parezca que estás preguntando por una respuesta seria; irónicamente, esta actitud superará rápidamente las defensas de las personas y hará que suelten información sobre sí mismos que puede ser increíblemente significativa. Lo que te digan inmediatamente después es importante: lo que más piensen es el aspecto de sí mismos que probablemente consideren más importante, más relevante o fijo.

Por ejemplo, una persona te dice de inmediato que es un oso y no necesita más indicaciones para explicarte por qué: es feroz, protege a sus seres queridos y no se deben meter con él. Pero si no eligieron el tiburón, ¿podría esto significar que también se ven a sí mismos un poquito «tiernos»?

A primera vista, estas preguntas pueden parecer inocentes y divertidas, pero es esta misma simplicidad la que permite que las personas respondan de manera más honesta, como si se tratara de una prueba de Rorschach. ¿Escogieron un carnívoro o un herbívoro? ¿Un animal mítico? ¿Una plaga? ¿Un animal doméstico o uno salvaje y un poco peligroso? Esta pregunta agrega una inmensa profundidad y color a tu comprensión de la persona, y lo hace en sus propios términos.

8. ¿Cuál es tu película favorita?

Esto es quizás tan obvio en la superficie como el anterior, pero muchas personas no se detienen a pensar realmente en la enorme cantidad de información que se les ofrece cuando la gente comparte cosas como sus películas favoritas. Con esta pregunta, la gente realmente está compartiendo contigo las narrativas e historias que les atraen, lo que a su vez te muestra de manera profunda cómo es su universo moral interno, cómo piensan en los buenos y los malos, o incluso cómo imaginan su propia gran historia a medida que se desarrolla.

¿Qué es lo que les gusta de una película en particular? No asumas simplemente que se identifican con el personaje principal; puede ser el director o el género en sí lo que más les llama la atención. Y si alguien responde: «Bueno, es una película polaca independiente muy oscura estrenada a principios de los 40. No espero que sepas nada al respecto», ¡puedes deducir mucho a pesar de que nunca has oído hablar de la película! Puedes suponer que esta persona valora la exclusividad y la rareza, y le gusta presentarse como un conocedor con excelente gusto (es decir, ¡lo que otras personas identificarían como un inconformista exasperante!).

Utiliza la respuesta a esta pregunta junto con otros datos que estés recopilando. ¿Qué significa que al niño tímido y flaco del rincón le encanta una película de superhéroes? ¿Qué vería una madre japonesa jubilada en una película seria sobre la trata de esclavos en el sur profundo? La persona que te dice que su película favorita es una comedia, ¿significa algo que la comedia elegida no sea reciente, sino de décadas pasadas, que fue popular cuando eran solo niños?

9. ¿Qué rescatarías de un incendio en tu casa?

Ya sabes qué hacer. Toda tu casa está en llamas y solo puedes ir a buscar un artículo preciado, nada más. Esta es otra pregunta que toca profundamente los valores y prioridades más fundamentales de una persona. Tal vez tenías a una persona en particular catalogada como una persona pragmática, casi emocionalmente atrofiada hasta que te dijo que solo rescataría un libro de poesía.

Las situaciones de crisis y emergencia tienen una forma de atravesar rápidamente el desorden de la vida. Las personas pueden aparentar ser de una forma determinada hasta que están entre la espada y la pared. En la película *Force Majeure*, una familia se enfrenta a una amenaza terrible pero breve: una avalancha que se aproxima. En los escasos momentos acalorados, el padre huye de la escena para ponerse a salvo, mientras la madre se queda con sus hijos. Aunque el peligro pasa y todos están a salvo de nuevo, el resto de la película explora lo que significan las acciones del padre: ¿su respuesta instintiva en el momento dijo algo sobre lo que realmente valoraba, es decir, a sí mismo y no a su familia?

Trata de comprender no solo lo que una persona salvaría, sino por qué. Una persona que tomaría rápidamente a su gato antes que cualquier otra cosa te está diciendo que valora la vida más que las posesiones inanimadas. Una persona que toma su pasaporte te está diciendo que ve su libertad para moverse, su capacidad para viajar, como algo muy especial.

De manera similar, alguien que simplemente te dice que tomaría su billetera porque tenía todo su dinero, tarjetas y licencia de conducir allí también te está diciendo algo importante: que está interpretando tu pregunta no en términos de valores o hipotéticos, sino como un dilema literal y práctico que debe resolverse de la manera más lógica posible. ¡Muy diferente a la persona que afirma audazmente que salvaría una antigua fotografía de su tatarabuela!

10. ¿Qué es lo que te da más miedo?

Muchas de las preguntas anteriores se centran en valores, principios, prioridades, deseos. Pero, por supuesto, también se puede aprender mucho sobre una persona por lo que evita, detesta y teme activamente. Esto te dice no solo lo que valoran, sino también cómo se ven a sí mismos. Después de todo, tiene sentido que tengas miedo de aquello contra lo que más te sentías incapaz de protegerte, o de lo que sentías que era más perjudicial para ti personalmente. Esto puede generar una enorme cantidad de información sobre cómo una persona ve sus propias fortalezas y limitaciones.

Alguien que dice «arañas» tendrá una estructura psicológica muy diferente a alguien que dice, «demencia de inicio temprano, donde gradualmente olvido quién soy y las caras de todos los que solía amar». Los miedos son a menudo una puerta a los principios más firmes de las personas: una persona que tiene una inclinación moral extrema y está impulsada por la justicia y la equidad puede temer a los asesinos en serie, a los psicópatas o incluso a las entidades sobrenaturales demoníacas.

Por otro lado, los miedos también pueden decirte lo que esa persona piensa sobre su capacidad para manejar la adversidad o el sufrimiento. La persona que teme el rechazo, el abandono y la crítica te está diciendo que, en su mundo, el daño psicológico es más grave que el daño físico. Del mismo modo, ¿qué deducirías de alguien que te dice sin vacilar: «No tengo miedo de nada»?

Aportes

- Existe una gran cantidad de información que podemos observar y analizar cuando intentamos comprender a otras personas, pero generalmente no tenemos mucho tiempo para hacerlo. El uso de pequeñas cantidades de datos para realizar evaluaciones precisas se denomina «corte fino». Las decisiones rápidas basadas en cortes finos pueden ser sorprendentemente precisas. Una buena técnica es confiar en tus reacciones inconscientes iniciales (intuición) pero complementar esto con observaciones más deliberadas después del hecho.
- Ten en cuenta las palabras que la gente usa en sus textos y correos electrónicos, por ejemplo, el uso de pronombres, voz activa/pasiva,

palabrotas, acento, elección de palabras, etc. También ten en cuenta la carga emocional que tienen las palabras de alguien y si esta cantidad es apropiada para el contexto en el que se usan. Por ejemplo, usar un lenguaje demasiado negativo en situaciones aparentemente benignas puede ser un indicador de mala salud mental o baja autoestima.

- Lee el hogar y las posesiones de una persona como lo harías con su lenguaje corporal y su voz: examina la cercanía o apertura de un hogar para determinar la sociabilidad, por ejemplo. Fíjate tanto en lo que hay en exceso como en lo que falta de manera notoria en los espacios que uno ocupa con frecuencia. Las posesiones personales pueden hacer reclamos de identidad, pueden hablar de la forma en que una persona regula sus propias emociones o pueden ser evidencia de ciertos comportamientos o hábitos pasados.

- También puedes confiar en el comportamiento de las personas en línea para discernir qué tipo de personas son, aunque aquí es necesario tener cierta precaución. Presta atención al tipo de imágenes que publica la gente y las emociones que transmite, especialmente si son positivas, neutrales o negativas. Las personas que publican imágenes positivas tienen más probabilidades de ser agradables, extrovertidas o concienzudas, mientras que las personas con fotos más neutrales son generalmente más abiertas y neuróticas.

- Puedes utilizar preguntas para obtener activamente información muy útil. Las preguntas hipotéticas pueden sortear las defensas de las personas y hacer que revelen honestamente información reveladora de inmediato. Esto te ayuda a manejar mejor sus deseos secretos, valores y autopercepción.